몸과 마음을 여는 인문학 오디세이

요가의 향기로 세상을 보다

도서출판 흐름

《책머리에》

"요가 자세의 연구 목적은 자유자재로 구사하는 법을 배우는데 있는게 아니라, 스스로를 이해하고 변화시키는데 있다."고 B.K.S.아헹가(Iyenger)는 강조하고 있다. 이 말을 곱씹어 보면 스스로를 이해하고 변화시키는 데에 필요한 것은 요가 관련 기법과 이론 무장은 물론 다양한 인문학적 지식과 소양이 곁들여져야 된다는게 아닐까 생각해 본다.

흔히 "인문학은 인간의 영혼을 새기는 학문이다."라고 말한다. "인문은 사람이 남긴 무늬로 그 무늬는 어떤 것도 흉내낼 수 없는 영혼의 무늬이기도 하다. 또한 인문학은 생각하는 힘을 키우는 학문이다. 생각하는 힘을 못키우면 생각없는 단순한 기계의 부속 상태로 전락할 우려가 있다"고 석학들은 경고한다. 인문학을 경시하면 지식 기술자들이 많아진다는 말로도 들린다.

요가를 한다는 것이 단순한 몸동작 위주로만 하는, 즉 '요가 기술자', '요가 기능인'이 아닌 폭넓은 지식과 지혜를 갖춘 참되고 올곧은 요가인, 요기니(yogini)가 되는 것이 무엇인지 돌이켜보게 되는 이야기를 엮고 싶었다. 그러다보니 스스로도 부끄럽게 여겨지는 부분이 참으로 많았음을 어이하랴. 흐트러져 있는 요가 관련 편린들을, 구슬들을 꿰어 맞춰 번듯한 진주 목걸이로 거듭나고자 한 시도라고 할 수 있다. 그리하여 요가 인문학의 새로운 지평을 열어보고 싶었다.

스토브 잡스는 ''애플은 인문학과 기술의 교차점에 있다''며 ''소크라테스와 한 나절만 함께 할 수 있다면 애플이 가진 모든 기술을 다 주겠다''고도 했다. 요가 수행에 인문학적 요소를 곁들인다면 요가의 의미, 목표, 의도를 더 뚜렷이 느낄 수 있을 것이라는 생각은 순전히 25여년간 '요가 마스터(Yoga Master)'의 길을 걸어온 저자의 신념 때문이다. 특히나 심도 있는 사유의 힘과 통찰력, 다양한 상상력, 그리고 풍부한 감성의 수혜는 덤으로 해두자.
일찍이 칼 융(Carl Jung)은 '상징(symbol)은 항상 우리가 모르는 어떤 것을 표현한다' 하였다. 이러한 것들은 오늘날 여러 분야에서 광범위하게 활용 되고 있다. 요가 아사나 (자세 · 몸짓) 역시 상징의 한 대표적인 예라고 할 수 있다. 셜리 대번트 프렌치는 ''요가는 하나의 예술이고, 아사나 역시 그 예술이며 진리를 밝혀 우리를 빛으로 인도하게 될 상징들의 시적(詩的)인 표현이다''라고 했다.

그런 연유로 저자는 아사나의 상징적 언어들을 이해해 보려고 노력하였으며, 아사나에 숨겨진 비밀의 코드를, 관념이나 지식의 옷을 입고 있는 그 상징성을 풀어보려고 시도

해 보았다

우리는 요가가 단순히 건강뿐만이 아니라 생리적, 심리적으로도 또한 그 이상으로 신비적이거나 영적인 여러 요소들을 내포하고 있다는 사실을 간과해서는 안될 것이다.

인도 신화나 전통, 문화, 혹은 동식물이나 구조물 등에서 따온 요가 아사나 명칭은 그 아사나에 숨겨진 비밀의 코드와 상징적 의미를 유추해 보는 좋은 계기가 되었다.

이 책에서 언급하고 있는 각 아사나들의 상징적 의미에 대한 성찰과 사유를 통해 육체를 들여다 보고, 결국에는 자신의 오감(五感)까지 제어할 수 있는 경지까지 오를 수 있게 되기를 희망해 본다.

"이름을 알고 나면 이웃이 되고/색깔을 알고 나면 친구가 되고/모양까지 알고 나면 연인이 된다/아, 이것은 비밀." 나태주 시인의 시 <풀꽃2>가 저자를 대변해 주고 있다.

많은 선배 제현들의 주옥같은 말씀을 서적, 잡지, 일간지, 인터넷 매체 등을 통해 인용, 요약 발췌하기도 했으나 지면 관계상 일일이 상세한 각주(脚注)를 달지 못했으며 혹 누락된 경우도 있을 수 있음을 이 지면을 빌어 밝힌다.

그간 부산일보에 칼럼을 연재하면서직접 호흡을 맞추었던 최혜규, 김동주, 이대성, 김희돈기자님들과 매 칼럼마다 사진, 동영상 촬영에 기꺼이 협조해 주신 요기니들께 감사드

립니다.

그리고 정선혜, 김미선, 황은주, 박미희, 김향옥, 전영희 외 많은 분들의 도움으로 1권
<몸과 마음을 여는 인문학 오디세이(도서출판 실천)>에 이어 두번째로 이 책을 출간하게 되었기에 이 지면을 빌어 감사 말씀을 전합니다.

끝으로 이 책이 '어떻게 요가를 하는지도 중요하겠으나, 왜 요가를 하는지 한번 쯤 되돌아 보게 하는 책'이 되었으면 하는 바램을 담아 본다. 또한 요가인들이나 일반 독자들의 요가 경험을 가일층 심도 있게 확장시켜 줄 사유와 성찰의 길을 제시해 주고, 그 길을 밝히는 조그만 <요가의 등불>이라도 되기를 소망해 본다.

2024.1

한려수도 갯바람 불어오는
'운형산방 해월정(海月亭)'에서

저자 아뜨마난다 최진태 씀.

목차

1. 부활과 야동이 상징, 개구리 자세(50)

자세는 손가락이 앞을 향하게 한 후 발등을 누른다. 어깨관절을 부드럽게 풀어주며 허벅지의 탄력성과 복근력을 강화시켜 준다.

시연 임은주.

얼었던 대동강물이 풀리고 개구리도 겨울잠에서 깨어난다는, 24절기 중의 하나인 경칩(驚蟄)이 눈앞이다.

일어난다는 뜻의 경(驚)과 겨울잠을 자는 벌레라는 뜻의 칩(蟄)이 합쳐진 말이다. 겨우내 동면하던 동물들이 깨어나고 잎이 돋아나는 시기가 바로 이때이다. 이처럼 경칩은 삼라만상이 약동하는 시기로 움츠렸던 겨울이 끝나고 새로운 생명력이 소생하는 절기인 것이다.

우리나라 수심가(愁心歌)에도 "우수 경칩에 대동강이 풀리더니 정든 님 말씀에 요 내 속이 풀리누나"하는 가사가 있다. 계곡이나 개울가엔 올챙이가 꾸물거린다. 아직 젤 상태로 쌓인 알들도 보인다.

8

"개울가의 올챙이 한 마리 꼬물꼬물 헤엄치다"는 동요는 남녀노소 불문하고 읊조리는 재미있는 '올챙이 송'이다. "개굴개굴 개구리 노래를 한다, 아들 손자 며느리 다 모여서"로 시작하는 '개구리 송'도 귀에서 맴도는 시절이 왔다. 황새에게 목이 먹힌 상태에서도 필사적으로 황새 목을 꽉 조아서 결국 토해내게 만드는 '네버 기브 업(never give up)정신'으로 끝까지 춥고도 시린 세한(歲寒)의 시간을 버티고 이겨낸 개구리들이 약동하는 계절이 왔다.

겨울잠을 자는 동물들이 신화나 제의(祭儀)의 맥락에서 중요한 상징적 의미를 갖는 것은 겨울잠을 자고 깨어나는 이들의 상태가 죽었다 되살아남을 상징하기 때문이다. 대지의 어머니 자궁 깊숙이 파고 들어가 깊은 잠에 **빠졌다**가 다시 생명의 기운을 되찾아 활기차게 깨어나는 이들 생물들은 모두 죽음을 경험하고, 죽음에서 되살아난 존재들로 볼 수 있다. 그것은 곧 부활과 재생 그리고 약동, 되살아남의 표상으로 여겨진다.

물과 육지 양쪽에서 생활하는 것을 양서류(兩棲類)라고 하는데 개구리는 대표적인 양서류 중의 하나다. 고어로는 머구리라 하고 사투리로는 개구락지라고 부르기도 한다. 먹이는 살아 있는 곤충이며 천적으로는 뱀, 때까치, 황새, 물장군 등이다. 우리에게 가장 친숙한 청개구리는 얼룩무늬 참

개구리다. 일상적으로 다른 개구리와 구분되는 두꺼비나 맹꽁이 등도 사실은 개구리목(木)에 포함된다.

식용으로 수입되었지만 방목되어 한국의 생태계를 교란시키고 있는 황소개구리, 거의 아기만 한 크기까지 자라는 현존 최대의 개구리로서 골리앗 개구리도 있고 피부에 독을 분비하는 독화살 개구리나 무당개구리, 송곳니가 달린 송곳니 개구리도 있다. 심지어 박치기로 적의 몸에 독액을 주사하는 개구리도 발견되었다.

독개구리의 독은 사람에게도 치명적인 맹독이라 원주민들은 이 개구리의 독을 화살에 묻혀 사냥에 쓰기도 했다. 특히 남미산 개구리의 독은 뱀의 독보다도 더욱 독성이 강해 생명체가 낼 수 있는 독 중에서 가장 독성이 강하다. 이 개구리의 독 한 방울로 성인 남성 10만 명 정도를 살상할 수 있을 만큼 치명적이라 한다. 과학자들은 독개구리의 신경독을 이용해 수백 종류의 진통 물질을 개발하고 있다. 독은 독으로 다스리는 이독치독(以毒治毒) 치료법이다.

양서류임에도 불구하고 사막비 개구리처럼 사막에서 사는 개구리도 있다. 게다가 성체인 개구리가 오히려 유체인 올챙이보다 작은 개구리도 있고, 중앙아프리카에는 몸에 털 같은 조직이 나 있는 개구리도 있는데, 보다 특이한 점은 손과 발의 뼈를 돌출시켜 호신용 무기로도 사용한다고 한다. 백악기에는 베엘제부포라는 거대한 개구리도 존재했다. 우리나라를 비롯해 세계문화권에서 많은 신화와 설화 그리고 종교 속에서 개구리에 관한 내용이 흔하게 발견되는 것을 보면 인간의 인식 속에 개구리가 자리 잡은 지 꽤 오래된 듯하다. 그만큼 사람들에게 개구리는 가깝고 친근한 존재다.

'개구리 왕눈이', '개구리 중사 케로로'를 보며 성장한 우리들 삶 곳곳에는 개구리와 관련된 것들이 여전히 많다.

먼저 부여와 고구려의 건국 신화 속에 금와왕(金蛙王) 이야기가 등장한다. 북부여왕 하모수의 아들로 동부여를 건국한 해부루는 늙도록 아들이 없었는데 길을 가다가 눈물 흘리는 큰 돌을 들치자 금빛 개구리 모양의 아이가 나왔다. 하늘이 자신에게 내린 아이라고 여긴 부루왕은 그를 데려가 키우고, 아이 이름을 금빛 개구리를 뜻하는 금와(金蛙)라고 지었다는 설화이다.

삼국유사에 '선덕왕 지기삼사(知幾三事)'로 알려진 이야기로 신라 선덕여왕이 개구리 울음소리를 듣고 적이 몰래 침입한 사실을 알아내어 섬멸한다는 이야기도 나온다.

또 강감찬 장군과 관련된 설화 중에 개구리가 너무 시끄럽게 울어 사람들에게 피해를 주자, 개구리를 심문하고 입을

봉함으로써 소란했던 개구리들의 울음을 그치게 했다는 이야기도 있다.

불가(佛家)에 전해지는 이야기로 어느 날 개구리 한 마리가 부처께서 법(法)을 설하시는 걸 듣기 위해 연못에서 나와 풀숲으로 가던 중 지나가던 행인들의 발길에 깔려 죽고 말았다. 이윽고 개구리의 육체와 영혼은 분리되었고 그 영혼은 저승으로 가게 되었던 바, 잠시 후 눈을 떠 보니 자신이 새로 태어난 곳이 불국토(佛國土) 정상에 위치한 도리천이었다는 것이다. 전생에 축생이었던 자신이 그리 된 이유를 몰라 의아해 했는데, 자신이 부처님의 설법을 듣기 위해 자신의 목숨을 내놓았기에 이러한 과보를 받은 것임을 뒤늦게 알게 된다. 이것이 곧 그 유명한 '경률이상(經律異相)'에 수록된 개구리에 관한 설화이다.

구약성서 출애굽기에서 하나님은 이집트에 다섯 가지 재앙을 내린다. 그중 두 번째 재앙이 개구리에 관한 것이다(출 8: 2~15). 나일강에서 엄청나게 많은 개구리들이 뭍으로 나와 온 나라를 뒤덮었고, 개구리들이 죽어 썩으면서 악취가 진동한다.

또한 요한 계시록에서는 개구리를 더러운 존재로 보고 사탄의 모습에 빗대 표현했다. 그러나 기독교 문화에서 개구리가 늘 부정적인 의미로만 쓰인 것은 아니었다. 초기 기독교 문화에서는 개구리를 재생과 영적으로 깨어 있음을 상징하는 표상으로 삼기도 했다.

인도의 오래된 경전 중 하나인 리그베다에서는 세계를 떠받치고 있는 거대한 개구리에 관한 이야기가 전해지고 있으며, 개구리를 대지의 모신(母神)을 모시는 사제에 비유한 개구리 찬가도 전해진다.

힌두 전통에서 개구리는 울음을 통해 겨울 가뭄을 끝내고 봄비를 내리게 하는 신성한 존재다. 또한 개구리는 하늘의 천둥으로 여겼다. 게다가 개구리를 뜻하는 영어인 프로그(frog)는 범어로는 구름을 뜻한다. 비가 오지 않으면 개구리는 기우제를 지내기도 했다.

오래된 이야기이지만 인도 동북부에 있는 한 도시인 구와하티에서는 6개월 동안 비가 오지 않자 기우제로 개구리 한 쌍의 결혼식을 성대하게 올렸다. 수많은 사람들이 참가한 이 결혼식은 인도 전통 음악이 울려 퍼지는 가운데 힌두 사제의 주례로 치러졌다. 아직도 개구리의 성대한 결혼식을 올리면 비의 신이 노여움을 풀고 축복을 내린다고 믿고 있는 것이다.

이집트 신화에는 헤켓(heqet)이라는 여인이 등장한다. 헤켓은 생명을 불어넣어 주는 신으로 출산을 관장하며, 특히 왕들의 탄생을 주관하는 신이다. 헤켓 여신을 모시는 사제들은 산파 훈련을 받았다고 한다. 그런데 신화 속에서 헤켓 여신의 모습은 개구리 또는 개구리 머리를 한 여인으로 묘사되고 있다. 창조와 풍요를 뜻하는 원초의 여신, 매일 아침 물속에서 떠오르는 태양을 돕는다고 해서 산파의 여신으로 여겨졌다.

고대 중국에서는 북에 개구리를 그려 비를 부르는 의식에 사용했다. 북을 두드려 그림 속의 개구리를 울게 하고, 울리는 북소리는 천둥과 같으므로 비를 내리게 한다고 믿었다.

그리스 문화에서 개구리는 다산과 사랑을 주관하는 아프로디테(비너스) 여신의 상징이었다. 이는 개구리가 많은 알을 낳는 것과 관련이 있다.

일본에서도 이와 유사한 두꺼비 신선에 관한 이야기가 전해 내려오고 있다. 여기서 두꺼비는 신비한 약초와 영생의 비밀을 알고 있는 존재로 등장한다.

그러나 유럽에서는 개구리나 두꺼비를 불길한 존재로 여겼다. 이들은 악마와 마법을 대표하여 종종 검은 고양이와 함께 마녀 일당으로 취급되었고, 음모나 마약 같은 비책으로 인용되었다.

이와 같이 개구리는 많은 설화나 민담 속에 등장하여 다양한 상징성을 가진다. 여기에는 부정적인 면과 긍정적인 면이 있다. 개구리는 많은 우화에서 어리석고 조롱거리 대상으로 비쳐지기도 한다.

앞서 기술한 대로 부정적인 존재로 인식되는 경우도 있지만 그러나 대체로 개구리는 행운을 가져다주고, 가뭄에 단비를 내리게 하는 등 신성을 띤 긍정적인 존재로 비쳐지는 경우가 많다. 동양문화에서 두꺼비는 대체로 지혜롭고 신비한 능력이 있으며, 은혜를 갚을 줄 아는 의리 있는 존재로 그려졌다.

이러한 동서양의 신화 중에서 공통적인 것은 개구리는 다산과 풍요를 상징하고 있다는 것이다. 이는 개구리가 다량의 알을 낳고 또 특정 시기에 대규모로 출몰한다는 것과 관련이 있다고 본다. 옛날 신혼집에는 개구리가 그려진 병풍과 족자를 배치하였는데, 여기에도 다산의 염원이 담겨있다고 본다.

신사임당의 '초충도(草蟲圖) 병풍'에 나오는 개구리가 특히 눈에 띈다. 우스갯소리지만 요즘처럼 저출산 시대에 신혼부부들에게 개구리가 들어간 그림이나 사진이라도 선물하면 좋을 듯 하다는 생각도 해본다.

개구리는 3억 년간 몇 번의 대멸종까지 거치며 살아남은 생존왕답게 나름대로 천적에게 대항하기 위한 수단이 갖춰

져 있다. 대표적인 방법이 뜀뛰기와 위장술이다. 근육질의 긴 뒷다리는 개구리의 트레이드 마크나 마찬가지이며 폭발적인 도약력은 메뚜기나 벼룩에 견줄 만큼 독보적이다. 위협을 느끼면 단숨에 점프하여 순식간에 천적의 사정권에서 벗어나 몸을 숨긴다.

단 지구력은 매우 떨어져서 오래 뛰지는 못한다. 위장술 또한 보편적인데 대부분의 개구리는 주변 자연 환경과 매우 유사한 색깔을 띠고 있어 쉽게 발견하기 어렵다.

청개구리가 비 오는 날에 슬퍼서 운다는 말은 사뭇 잘못된 이야기다. 청개구리는 비 오는 날에만 우는 것도 아니고 슬퍼서 우는 것도 아니란다. 비 오는 날에 우는 게 활성화될 뿐이며, 암컷을 유혹하는 노래를 부르는 것이다. 개구리는 피부호흡과 폐호흡을 같이 하는데 비가 오면 피부가 촉촉해져 피부호흡을 하기에 알맞은 환경이 된다. 개구리에겐 최적의 환경인 셈이며, 그래서 비 오는 날에 더 많이 운다는 것이다.

또한 개구리의 옹골찬 울음은 농염한 사랑 노래다. 무슨 수를 써서라도 자신들의 유전자를 더 많이 퍼트리고 싶어 하는 수컷들의 처절한 외침이다.
개구리도 매미처럼 암놈은 소리를 내지 못하고, 수놈이 목

밑의 울음주머니를 부풀렸다 오므렸다 하면서 떼 지어 노래를 부른다. 요즘말로 떼창을 부른다. 그것도 밤새도록, 기운도 좋다. 이는 천적에게 주의를 분산시켜 포착의 대상이 되지 않기 위한 궁여지책이라고 한다. "개구리 너희들도 다 생각이 있었구나."

또한 옴짝달싹 않고 암수 개구리가 붙어 있는 것은 교미를 하는 게 아니란다. 개구리는 교미가 없다. 그냥 꺼안아 흥분시키고 자극할 뿐, 암놈이 알을 낳으면 잽싸게 수놈이 그 위에 정자를 뿌리는 체외수정(體外受精)을 할 따름이다.

역사적으로 개구리 고기가 전기의 발견에 기여했다는 사실에 주목할 필요가 있다. 죽은 지 얼마 안 된 개구리 뒷다리를 익히기 전, 소금을 뿌리면 나트륨 때문에 경련을 일으킨다. 18세기 이탈리아의 해부학자인 갈바니(Galvani)가 발견한 갈바니즘, 즉 개구리 뒷다리에 전기가 흐르는 금속이 닿으면 경련을 일으킨다는 것이다. 개구리 고기를 먹다가 우연히 이런 걸 보고 전기는 개구리에서 발생한다고 주장했는데, 비록 지금은 틀렸다고 밝혀졌지만 이로 인해 전기의 발견에 기여했다.

갈바니의 생물전기 이론은 훗날 신경계의 발견과 뉴런의 작용, 그리고 심장이 스스로 전기신호를 만들어내는 능력이 있음이 밝혀짐으로써 그의 생각은 나름 인정받게 되었다. 영어에 '전기가 통하다'의 뜻의 '갈바나이즈(galvanize)'라는 동사는 갈바니의 이름에서 따온 것이다. 초기 전기 발전에는 개구리의 희생과 기여가 있었음을 기억해야 할 것이다.

우리나라 속담에 '개구리 올챙이 적 생각 못한다'라는 게 있다. 고생 끝에 성공을 하고 나면 지난날의 미천하고 어려웠던 때를 잊고 거만하게 행동하는 것을 경계하는 말이다. 중국의 '후한서(後漢書) 송홍전(宋弘傳)'에 나오는 '빈천지교불가망(貧賤之交不可忘)'이라는 말, 즉 '가난하고 천할 때 사귄 벗은 잊어서는 아니 된다'는 말과 같은 맥락이다. 원본은 뒤에 '조강지처불하당(粗糠之妻不下堂)'이 더 있다. 즉 '술지게미와 쌀겨 가루 먹으며 가난을 함께한 아내는 보낼 수 없다'는 뜻이다. 여기서 '조강지처'란 말이 나온다. 장자(莊子)에는 정저지와(井底之蛙)라는 성어가 있다. '우물 안에 사는 개구리'라는 뜻으로 우물 안에 사는 개구리는 자기가 사는 우물 안의 좁은 세계만 알 뿐이다. 우물 바닥에서 하늘을 바라보면 하늘이 우물 만하게 보일 뿐이라는 뜻이다. 알고 보면 우리는 대부분 우물 안 개구리가 아닐까? 이를 극복하는 방법은 내가 속한 시간, 공간, 인간관계 등에서 벗어나 심안(心眼)을 보다 활짝 열어서 지금까지의 고착된 사고를 내려놓아야 될 것이다.

18

그 후로도 끊임없는 사유와 성찰을 통해 열린 자세로 세상과 새로운 피드백을 주고받으며 자신의 사고의 폭과 시야를 끊임없이 넓혀 가야 되지 않을까?

이능화의 '조선불교통사'의 '변화금와'에 기록된 유명한 이야기가 있는데 바로 신라의 자장율사와 금개구리에 관한 것이다. 자장율사가 통도사(646년 창건)를 세우기 전 어느 날 옹달샘에 갔다가 샘에서 개구리 한 쌍이 놀고 있는 것을 보고 숲속으로 옮겨놓았는데, 다음 날에도 또 다음 날에도 여전히 그곳에서 놀고 있었다. 그래서 자세히 들여다보니 다른 개구리와는 달리 금줄이 선명하고, 등에는 거북 모양의 무늬까지 있는 게 아닌가. 이에 불가(佛家)와 인연이 있는 개구리라 생각하여 샘에서 살도록 하고, 겨울이 되면 동사(冬死) 할 것을 염려하여 암벽에 구멍을 뚫어 그 속에 살게 하였단다.

그 뒤 불자들은 이 개구리를 '금와보살'이라 칭하고, 바위의 굴을 '금와석굴' 또는 '금와공(金蛙孔)'이라 불렀다. 지금도 그 속에서 산다는 금개구리는 절에 행사가 있을 때는 모습을 드러낸다고도 하며, 불심(佛心)이 지극한 사람에게만 보인다는 말도 있어 지금도 자장암에 가는 사람들은 지름 3.5cm의 금와공 앞에서 눈을 크게 뜨고 금와보살을 친견하려 애를 쓰고 있다.

필자 역시 수번 친견한 적이 있으며, 사진까지 담아온 경험도 있다(요즘은 사진 촬영을 금하고 있는 듯). 그러나 자장암의 이 금개구리는 단순한 호기심이 아니라 수행·구도에 이르는 깨달음의 길을 인도하는 가르침으로 받아들여야 할 것이다.

'삶겨 죽는 개구리 증후군(boiling frog syndrome)'이란 말이 있다. 미국 코넬리 대학교의 실험실에서 있었던 일로 개구리 한 마리를 처음엔 차가운 물 속 비커에 넣고, 서서히 그것도 아주 서서히 물이 데워지도록 온도를 올려가면 그 변화를 눈치채지 못하고 어어 하다가 어느 순간, 임계온도에 이르러 뛰쳐나오려 했을 때는 이미 늦어 삶아져서 죽고 만다는 이야기다.

사실 우리 인간들도 대부분 비커의 개구리처럼 변화가 일어나고 있다는 사실을 잘 깨닫지 못한 채 현실에 안주한 채로 살아가고 있지는 않을까? 그러다가 어느 날 갑자기 결정적인 변화가 도래했음을 알아차렸을 때는 이미 너무 늦어버린 경우가 많다는 사실을 경험하게 된다. 개인은 물론 기업의 경영 및 심지어 국가의 존망까지 말이다.

변화라고 하는 것은 어느 날 갑자기 엄청난 규모로 다가오는 것이 아니라 대부분의 변화는 잘 눈치채지 못하게 매우 서서히 다가온다는 사실이다. 가끔은 그 징후(사인)를 보내기도 한다는데 그것을 예사로 여기거나 또 알아채지 못하고 넘어가는 경우도 많다. 그것은 우리 몸의 '건강상태'에도 똑같이 해당되는 말일 것이다.

"천하의 대세를 아는 자 천하에 살아남을 수 있고, 천하의 대세를 모르는 자 천하에 살아남을 수 없다"고 한 현자의 말을 떠올린다.

미국의 안서니 기든스(Anthony Giddens)교수는 환경 문제가 지구의 멸망을 초래할 수 있는 상황이 되었지만, 사람들은 개인의 생활태도를 바꾸고 싶어하지 않는다고 지적했다. 그 이유는 지금 당장 나에게, 우리에게 해가 되는 것이 크게 와 닿지 않기 때문이란다.

이런 현상을 가리켜 '기든스 패러독스(Giddens Paradox)'라고 한다. 기후변화라는 재앙이 눈앞에 닥쳤지만 사람들은 실생활에서 애써 외면한다. 우선 눈앞의 달콤하고 안락한 작은 이익에 매달려 있기 때문이다. 이러한 것들이 자칫하면 앞서 기술한 '삶긴 개구리' 신세가 될 수도 있음을 되새겨 보면 좋겠다.

항상 미래를 바라보는 열린 눈으로, 주어진 현실을 냉철히 직시하면서 쏠림이 아닌 균형 잡히고 깨어 있는 의식을 갖출 수 있기를 소망해 본다. 나도, 그대도, 그리고 우리 모두 가.

개구리 자세는 만두카 아사나(Manduka Asana) 또는 베카 아사나(Bheka Asana)라고 한다. 만두카, 베카는 개구리라 는 뜻으로 개구리의 형상을 닮은 동작이다.

복부를 바닥에 대고 엎드려 양 무릎을 접은 후 양팔을 손 가락이 앞을 향하게 돌린 채, 발등을 누른다. 상체는 최대 한 위로 들어 올리며 얼마간 이 자세를 유지하다가 자세를 푼다.

두 번째 단계로 '누운 개구리 자세(숩타 만두카 아사나)'를 시도해 본다. 복부를 천장을 보게 한 후 양 무릎을 뒤로 접는다. 이때 엉덩이와 가슴은 바닥에서 들어 올린다. 그리 고는 한쪽씩 천천히 손바닥이 위로 향하게 한 채, 손가락 이 앞을 보게 하면서 발등을 받쳐 올린다. 팔굽으로 지탱 한다. 얼마간 자세를 유지하다가 풀고 휴식을 취한다. 이 자세는 어느 정도 어깨 관절이 풀려야 가능하다.

무릎관절과 통풍 등의 트러블에 효과가 있다. 발뒤꿈치의 통증도 완화시켜 준다. 그러나 너무 오래 무리하게 이 자 세를 시행치 않는 게 좋다. 허리와 하복부 단전의 힘을 배 양시키며, 허벅지 앞쪽의 근육을 자극해 등산이나 행군 등

22

많이 걸었을 때 하체의 피로를 조속히 경감시켜 주는 효과가 있다.

이 자세는 개구리가 올챙이에서 끝없이 노력하여 개구리로 탈바꿈하는 성장 과정을 떠올리며 자신의 목표를 향해 끊임없이 노력한다는 의미의 자강불식(自强不息)을 되새기게 한다. 자신의 성장을 위한 변화엔 두려움이나 머뭇거림 없이 기꺼이 동참할 수 있어야 됨을 상징하는 자세라고 할 수 있다.

예전의 탄광에서는 일산화탄소에 예민한 카나리아가 죽으면 광부들이 서둘러 탄광을 빠져나왔다. 개구리도 환경 변화에 민감하며, 피부호흡을 하기 때문에 물과 공기 모두에서 오염물질을 흡수한다. 그래서 많은 이들이 개구리를 지구환경 변화의 카나리아라고 부른다.

개구리 등 양서류의 감소는 인간의 삶에 근본적인 도전이 되고 있다. 양서류가 사라지는 것은 생태계 고리가 끊어진다는 것을 의미하며, 끊어진 한 고리는 다른 고리도 망가트리고 만다. 고리의 하나인 인간도 살기 어려워질 것이다. 인간은 자연을 느끼며 들으며 호흡하며 살아갈 수밖에 없다. 제 아무리 아름다운 오케스트라 음률일지라도 자연의 소리만큼 평화로움과 안락함을 선사할 수 있을까? 개구리 소리 새소리, 풀벌레 소리 등이 그윽한 자연환경과 더불어 비로소 우리 인간은 제대로 인간다운 삶을 영위할 수 있다고 본다. 생태계를 인간의 이익만을 위해 인위적으로 변모시킨다면 결국 그 해(害)가 인간에게 되돌아올 것이라는 것은 자명한 일이다.

호수와 저수지 및 아름다운 산하가 인공적인 구조물로 인해 더 큰 것을 잃고 있지는 않은지 되돌아볼 일이다. 한번 파괴된 자연 환경을 되돌리려면 너무 큰 대가를 지불하기 때문이다.

'개구리는 움쳐야 뛴다'거나 '개구리가 주저앉는 것은 멀리 뛰기 위해서다'라는 옛말이 있다. '이보 전진을 위한 일보 후퇴'라는 말과도 맥락이 같다.

지금 오랜 기간 역질 등의 영향으로 모두가 일상생활 등 모든 면에서 조금은 주저앉아 있고, 움츠려 있는 것이 사실이다. 그러나 미래의 도약을 위해 더 많은 에너지를 축적하는 시간이라고 생각하면서 결코 현재의 이 시간들을 헛되고 무의미하게, 또는 절망 속에 빠져 지내지 않겠다고 다짐해본다.

머지않아 꽃 피고 새 우는 따사로운 봄날이 기다리고 있을 것이라는 희망의 끈을 꽉 잡아 본다. 이토록 오랫동안 움츠리고 주저앉아 기다렸으니 앞으로 다가올 시간들은 더 활기차고 약동적일 것이라 믿는다. 긴긴 겨울 죽은 듯 겨울잠을 자다 다시 깨어나는 개구리를 보며 부활의 의미를 되새긴다.

얼마 후면 나라에 대사(大事)가 있다. 가슴이 뛴다. 하늘을 우러르며 심호흡을 한다. 팽팽한 긴장감이 조여오는 '만두카 아사나(개구리 자세)'에 간절한 마음을 담아, 복부를 바닥에 붙인 채 지긋이 두 발목을 누르며 머리와 가슴을 치켜올려 본다. 꿈과 희망에 부푼 부활과 약동의 봄기운을 한껏 들이키면서.

| 개구리 / 최진태 |

만물이 약동하는 바야흐로 봄이로세/ 경칩의 절기 쯤에 깨어나는
그댈 본다/ 춥고도 시린 세월 꿋꿋이도 잘도 견뎌

이 악물고 버텨왔다 인내와 끈기로써/ 오늘의 밝은 세상 이 날을
기약하며/ 죽었다 되살아났네 이걸 일러 오, 부활

새 삶을 노래하리 자손대대 번영이뤄/ 목놓아 울어보리 신천지를
만났으니/ 수억년 끈질긴 생명 너와 나는 한 가족
비커에 담기어서 나 모르게 삶기다가/ 결국은 숨 거두는 어리석
음 경계하소/ 변화에 대처 못하면 너도 나도 죽음 뿐

나날이 새로와 짐 올챙이서 개구리로/ 영육(靈肉)성장 거듭하세
탈바꿈도 불사하고/ 부단한 자기 연단(鍊鍛)이 스스로를 지킨다네

2. 생명의 숨을 불어넣는 풀무호흡 (51)

풀무 호흡은 몸속의 찌꺼기와 독소를 씻어 내고 신진대사를 활성화시킨
다. 편한 자세로 앉아 복부에 양손을 올리고 풀무질하듯이 코로 숨을 내
쉰다. 들이마실 때는 배를 풍선처럼 부풀리고, 내뱉을 때는 수축시킨다.
시연 황은주.

'풀무'는 대장간 등에서 쇠를 달구거나 녹여 땜질을 할 때
또는 가정집 부엌 아궁이의 장작불을 지피는 데 이용했던
기구를 말한다.

풀무는 크게 두 가지 방법이 있는데 하나는 손잡이를 밀고
당기는 손풀무이고, 다른 하나는 발로 밟아서 바람을 내는
발풀무(골풀무)이다. 손풀무는 크기가 중형·소형으로서 소규
모 대장간이나 금속 공예품을 만드는 장인들이 주로 사용
하는 것이다. 숯불을 피우기 위해 손풍금 같이
생긴 손잡이를 잡고 폈다 오므렸다 하며 바람을 일으키는
허풍선(虛風煽)도 손풀무의 하나다. 발풀무는 쟁기를 만드

는 대장간이나 대규모 공사장의 임시 대장간 등에서 사용하는 것이다.

풀무로 바람을 일으키는 일을 풀무질이라 한다. 풀무 손잡이를 잡아당기면 흡입구를 통하여 공기가 들어가고, 손잡이를 밀면 가죽박이에 의하여 압축된 공기가 풍로를 따라 화력으로 들어간다. 이와 같이 밀고 당기는 작업을 반복함으로써 화력의 불 온도를 조절하게 된다는 것이다.

특히 손풀무는 덜 마른 연료로 불을 피울 때 마른 낙엽이나, 짚, 나뭇가지, 솔방울, 잘게 쪼갠 관솔을 불쏘시개로 이용하여 밑불을 만들고 그 위에 장작이나 소나무, 참나무, 낙엽송 등의 장작을 쌓아 올린 후 풀무질을 하여 그 바람으로 불길이 일어 장작에 불이 붙게 되는 원리이다. 특히 벼를 찧고 나오는 왕겨로 불을 피울 때는 반드시 손풀무가 있어야 했다.

손풀무는 쇠붙이로 만들어졌으며 형태는 원통 속에 바람개비가 있고, 바람개비로 돌리는 둥근 쇠바퀴 바깥으로 홈이 패어 있어 여기에 고무줄이나 가는 벨트를 걸고 쇠바퀴의 손잡이를 돌리면 바람개비가 돌아가며 바람을 일으키게 된다.

풀무는 지방에 따라 여러 가지 이름으로 불리었다. 전라도 일부 지역에서는 '불메'라고 하며, 제주도에서는 손풀무를

'불미' 발풀무를 '발판 불미'라고 한다. 또한 농사짓는 쟁기를 주로 만든다 해서 '보섭(보습)불미'라고도 불렀다.

풀무의 발달과 활용으로 인해 철·구리 등 광물질을 추출할 수 있게 됨으로써 실생활에 수많은 가능성이 열리게 되었다.

인격도야(人格陶冶)란 말이 있다. 인격을 피와 땀과 정성으로 마치 질그릇을 굽고 쇠를 풀무질하듯 닦고 가다듬음을 말한다. 사람은 끊임없이 노력하여, 그 노력을 통해 발전과 성장을 거듭하게 되는 것이다. 사람의 삶 속에서 훌륭한 인격은 저절로 갖춰지지 않는다. 끊임없는 도야(陶冶)의 과정, 풀무질과 담금질을 거쳐야 비로소 성숙한 인격을 갖출 수 있다. 견디기 힘든 고통과 시련을 견디고 이겨내려고 하는 가운데 사람의 인격은 점차 완성되어 간다는 뜻이다. 여기에 '풀무'가 등장한다.

조선시대 김홍도가 그린 '단야도(鍛冶圖)'에 동자가 발풀무를 밟고 있는 모습의 일부가 보이고 있다. 풀무질하는 사람을 풀무꾼이라 하는데, 규모가 큰 대장간에서는 화로의 불을 꺼뜨리지 않고 주야로 작업을 하는 경우가 많아 장정들끼리 짝을 지어 교대로 작업을 계속하였다고 한다. 그림 속 장정들의 솟아오른 근육과 흐르는 땀방울을 통해 활기

찬 생활상을 엿볼 수 있다. 여기에도 '풀무'가 등장한다.

성경에서는 금속 덩어리를 풀무 불에 넣어 제련하듯 믿음의 진위를 확인하기 위하여 연단(練鍛)시키는 것을 시련이라 말하고 있다.

"환란은 인내를 인내는 연단을, 연단은 소망을 이루는 줄 앎이로다."(로마서 5:3-4)

"보라 내가 너를 연단하였으나 은처럼 하지 아니하고 너를 고난의 풀무 불에서 택하였노라."(이사야 48:10)

또한 풀무 불 속에서 바빌론의 느부갓네 왕이 강요하는 우상 숭배 대신 죽음으로 믿음을 지키려 했다가 기적 같이 살아남은 세 젊은이 사드락·메삭·아벳느고의 얘기가 나온다. 이곳 모두에서도 '풀무'가 등장한다.

성경에서 풀무는 비유적으로 애굽의 혹독한 속박, 하나님의 불 같은 심판, 끊이지 않는 정욕, 혹독한 시련, 영적인 단련, 종말이 있는 불 심판과 지옥 등을 상징한다.

노자의 도덕경 5장에 "천지지간 기유탁약(天地之間 基猶橐籥) 허이불굴 동이유출(虛而不窟 動而愈出) 다언삭궁 불여수풍(多言數窮 不如守中)"이란 말이 있다.

천지간에 자연의 움직임은 마치 풀무가 작동하는 모습과 비슷한 것 같다. 하늘과 땅 사이는 풀무나 피리와 같아서 텅 비어서 막혀 있지 않고 움직일수록 더욱더 많은 것을 내어놓는다. 즉 너무 세게 움직이면 곡식 가루나 음(音)이 튀어나오는 것과 같다.

마음이 조용하지 못하고 망상(妄想)을 내면 낼수록 고요함으로부터 점점 더 멀어진다는 뜻이다. 망상을 내는 행위 자체가 풀무가 펌프질하는 모양으로 비유한 것이다. 여기에도 '풀무'가 등장한다.

"(중략)술은 부채이외다 술은 풀무이외다/ 풀무는 바람개비외다 바람개비는/ 바람과 도깨비의 어우름 자식이외다/ 술을 마시면 취케하는 다정한 술/ 좋은 일에도 풀무가 되고, 언짢은 일에도/ 매듭진 맘을 풀어주는 시원스러운 술!/ 나의 혈관 속에 있을 때에 술은 나외이다(중략)."
1939년 7월 '여성 40호'에 발표되었던 김소월의 '술'이다. 여기에도 '풀무'가 등장한다.

도깨비는 '풀무의 신'이기도 하다. 그래서 도깨비는 풀무를 생업으로 삼던 마을에서는 당산(堂山)으로 모셔지기도 했다. 도깨비는 다양한 성격을 지닌 존재여서 제주도에서는 다양한 방식으로 신앙된다. 도깨비는 놀기 좋아하고 술과 고기를 좋아하며 호색가로 나온다. 사람에게 범접하여 병을 일으키기도 하는 존재이며, 또한 도깨비는 풍어를 이루어

주고 해상 안전을 돌보아주는 선왕(船王)이기도 하다. 여기에도 '풀무'가 등장한다.

대장간에서 화덕 바람을 불어넣어 쇳물을 녹이거나 쇠를 달구기 위해 풀무질을 하면서 부르는 노래를 풀무질소리, 불매소리(경남), 쇠부리 노래(울산), 불미소리(제주), 풍구소리(황해·평북)라고 한다.

풀무노래는 각 지역마다 다른 모습으로 나타나는데 '불무불무야'라고 하는 곳도 있고, '불아불아야', '불매불매 불매야'로 부르는 곳도 있다. 단동십훈(檀童十訓)에선 불아불아를 아니 불(不), 버금 아(亞)로 해석하여, '아기가 가장 소중한 존재'라 해석하고 있다.

풀무의 옛말이 불무이다. 불무질의 '무'는 무엇을 움직이게 한다는 뜻으로 해석되는 것인데, 불을 움직이게 하는 것이다.

우리 문화에서 불은 생명을 가리키는 용어이다. 그래서 제주도 삼신할미의 본풀이를 '불도 맞이 굿'이라 달리 부르기도 한다. 여기서 불은 '아기' '인간 생명'을 뜻한다. 불이 생명이란 뜻과 속살을 같이 하는 것은 남성 생식기를 '불알'이라고 하고 남녀 생식기 언저리 두둑을 '불두덩'이라고 하는 것에서도 짐작할 수 있다.

하늘 같이 소중한 아기를 불면 날아갈까 꺼질까 걱정하면서 그 생명의 불꽃이 더 힘차게 타오르도록 부채질하는 노래, 그것이 바로 '불무 노래'이다.

대장간이 거의 사라지고 없는 요즘 대장간에서 불리던 '불매불매' 역시 자취를 감추고 있다. 하지만 '불매불매'에 아기를 어르는 경우가 많았다. 요즘도 할아버지 할머니들은 손자 손녀를 어르면서 많이 불러주고 있다.

적진에 들어간 사명대사 유정은 무쇠풀무의 화방(火房) 속에 들었어도 타 죽기는 고사하고, 뚜껑을 열어 보니 수염에는 고드름이 주렁주렁 달렸으며 그 불구덩이 속은 온통 얼음으로 변한 채 도리어 큰소리로 왜장들에게 호통을 쳤다는 고사가 전해지고 있다.

고려시대 천책 선사는 한 승려로부터 차(茶) 선물을 받고 '사선사혜다(謝禪師惠茶)'라는 다시(茶詩)를 남겼는데 그 내용 중 "맑은 바람이 겨드랑이에서 풀무질 한다"는 구절은 차 한 잔에서 신선의 경지를 맛보는 장면을 떠올리게 한다.

조선시대 성리학 이기론(理氣論) 학자인 서경덕은 자연운행의 기틀을 일러 "음과 양의 풀무는 숨을 불어내고 하늘과

땅의 문이 열렸다 닫혔다 하네"라고 했다. 여기에도 '풀무'
가 등장한다.

풀무호흡은 범어로 '바스트리카 프라나야마(bhastrika
pranayama)'라고 한다. 프라나(prana)는 기(氣)다. 중국에
서는 치(chi), 일본에서는 키(ki)라고 한다. 바람, 생명력을
가진 공기라 불리기도 한다.

프라나를 설명하는 것은 신(神)을 설명하는 것만큼이나 어
렵다고들 한다.

성경에서는 창조의 묘사를 '신의 숨이 물 위를 떠돌았다'라
는 문장으로 시작하고 있다. 프라나는 신성(神性)의 숨이
다. 그것은 모든 차원에서 우주에 두루 스며 있는 에너지
이다.

프라나는 물질적, 정신적, 지성적, 성적, 영적, 우주적 에너
지이다. 또한 모든 진동하는 에너지는 프라나이다. 열·빛·중
력·자력·전기 같은 모든 물리적 에너지도 프라나이다. 프라
나는 모든 존재에 감추어진 또는 잠재하는 에너지이다. 이
것은 모든 활동의 활동력이며 창조하고 보호하고 파괴하는
에너지이다. 정력·힘·활기·생명·영혼은 모두 프라나의 형태
들이다.

우주의 존재들은 프라나를 통하여 태어나고 프라나에 의해 산다. 프라나는 삶의 바퀴의 중심이다. 모든 것은 그 일에서 이루어진다.

그것은 생명을 주는 태양·구름·바람·땅 그리고 모든 형태의 물질에 스며들어 있다. 그것은 존재(sat)인 동시에 비존재(asat)이며 모든 지식의 원천이다. 그러므로 프라나는 인격화된 우주정신이다.

17세기 신비주의자인 카리바에켄은 "만일 당신이 고요한 영혼을 갖고자 한다면 먼저 호흡을 조절하라. 호흡이 잘 조절되면 마음은 평온해질 것이다. 호흡이 불규칙하다면 항상 걱정 근심으로 불안할 것이다. 그러므로 어떤 것을 시도하기에 앞서 당신의 기질을 부드럽게 하고 당신의 영혼을 잔잔하게 가라앉히는 호흡을 조절하라"고 조언한다.

감정의 흥분은 호흡수에 영향을 미친다. 마찬가지로 호흡의 신중한 조절은 감정의 흥분을 제어한다. 요가의 목적은 마음의 조절과 안정에 있다. 그러므로 요가 수행자는 프라나야마(호흡법)를 중시 여겨야 하는 것이다.

"우리는 나뭇잎이 바람에 움직이듯 마음이 호흡과 더불어 움직인다는 것을 이미 알고 있다. 호흡이 조절되고 평화로워지면 마음을 안정시키는 효과가 생긴다. 그리고 호흡을 멈출 때 자신의 영혼을 지니게 된다. 숨을 가득 들이마신 상태를 유지함으로써 우리들은 자신 속에 신성(神性)의 무한성을 지니게 된다"고 현대 요가의 대가인 아이엥가는 말하고 있다.

"갓난아이의 약한 첫 호흡부터 죽어가는 사람의 마지막 헐떡임까지, 그것은 지속적인 호흡에 대한 하나의 긴 이야기들일 뿐이다"라는 말은 프라나의 의미를 잘 함축시키고 있다.

앞에서 '바스트리카 프라나야마'를 '풀무 호흡'이라 했다. 호흡 시 공기를 풀무처럼 강하게 불어 넣었다가 뺐다 하게 되므로 이 이름이 붙은 것이다. 하타요가에서 이 호흡법보다 더 강렬하게 기(氣)를 돌리는 방법은 없다고 할 정도이다.

편한 자세로 앉아 복부에 양손을 올린 채 복부를 이용해 풀무질하듯이 코로 숨을 내쉰다. 들이마실 때는 배를 풍선처럼 부풀리고, 내뱉을 때는 수축시킨다. 들이 마시는 숨과 내쉬는 숨을 같은 비율로 하여, 규칙적으로 리드미컬하게 반복한다. 소리가 날 정도로 다소 과장되게 해도 좋다.

엉덩이에 방석 등을 받쳐 꼬리뼈를 약간 높인 상태에서 행하는 게 좋다. 기초 단계에서는 처음 2초간 마시고 2초간 뱉는다. 다음에는 1초간 마시고 1초간 뱉는다. 숙련이 되면 조금씩 더 빠르게 1초에 2회 정도 마시고 뱉고를 진행한다. 물고기 자세(마시야 아사나)에서도 할 수 있다. 다 마친 후에는 사바 아사나로 휴식한다.

폐 안에서 빠른 공기 교환으로 인해 혈액 흐름의 안팎에서 산소와 이산화탄소 교환이 증가한다. 몸속의 열기를 더해주고 찌꺼기와 독소를 씻어 내리며, 신진대사를 활성화시킨다. 횡격막의 빠르고 리드미컬한 운동이 소화체계를 조율하는 내부기관을 마사지하고 자극하게 되어 소화능력이 향상된다. 명상을 하기 전 평온한 의식과 집중을 유도하며, 신경체계의 균형을 돕는다.

수련 도중 약간 어지러운 느낌이 있을 수도 있는데, 이는 뇌에 갑작스레 산소가 공급되어 뇌기능이 향상되고 있다는 증표이다. 이럴 때는 잠시 쉬었다 하면 된다.

인도의 의학서 '아유르베다'에서는 "풀무 호흡을 100회 정도 했을 때 체내 지방과 노폐물, 점액질을 태우고 제거하는 효과가 있다"고 기술하고 있다. 그래서 풀무 호흡은 '불의 호흡'이라는 명칭도 얻었다.

화가 났을 때, 집중이 안될 때, 급격하게 감정이 올라갈 때 그것을 고요히 할 때, 이렇듯이 감정의 기복을 안정시킬 때 활용하면 좋은 호흡법이다. 뱃살 제거 및 복부 탄력성 향상에도 좋다. 영적인 수행자에게는 사고력과 통찰력을 불러일으킨다. 임산부는 물론이고, 귀와 눈·폐·혈압에 트러블이 있을 때는 자제한다.

간절한 열망을 담아 그간 참으로 길고도 긴 시간, 더없이 지난하고도 더없이 고단했던 풀무질로 뜨겁게 활활 타오르는 용광로의 불길을 일으키며 연단하고 또 제련하여 드디어 추출한 결과물의 탄생을 본다. 얼마나 인내하며 기다려왔던가.

황홀한 이 순간 오, 보아라! 영롱한 저 광채를 뿜으며 마음껏 존재감을 뽐내고 있다. 뜨거운 불길 속에서 나오는 매캐한 연기 때문에 끝없이 흘러내리는 눈물조차 오늘은 그냥 감내하리라, 지켜보리라, 아니 마음껏 쏟아 내리라.
부디 정제된 추출물이었기를, 부디 바라고 얻고자 하던 광물질이었기를, 부디 꿈꾸던 보석이었기를 갈망하면서.

인도의 전통의학인 '아유르베다'에는 그 사람에게 맞는 각기 다른 보석의 기운으로 질병을 예방·치료한다는 '보석요법'이 있다. 이처럼 오늘 추출된 보석에서 발산되는 기운이 한겨울 바닷바람 같이 신선하기를 기대해 본다.

옆에만 있어도 그 보석의 기운으로 인해 그간 막혔던 기혈

(氣穴)이 봇물처럼 뚫리고, 바라만 보아도 그 보석의 기운으로 삶 속에 생활 속에 하늘 마음이 강물처럼 와 닿기를 흐르기를 기원한다.

앞으로도 계속하여 또 다른 보석들을 얻고 추출해야만 한다. 펼쳐질 산신(酸辛)한 험로를 헤쳐 나가려면 쉬지 않고 풀무질은 계속되어야 할 것이다. 그리고 그 풀무질은 더욱 치열하게 해야만 되리라. 그것이 손풀무든 발풀무든, 작은 풀무든 큰 풀무든 가리지 않고.

그리하여 누구나 탐내고 부러워하는 반짝반짝 빛나는, 감히 넘볼 수 없는 '마니푸라(보석의 도시)'의 건설도 꿈꾸어 보리라.

어디선가 드보르작의 '신세계 교향곡'이, 아니 에드 윈 호킨스 싱어즈의 '오 해피데이' 같기도 하고, 베르디의 '축제의 노래' 같기도 한 음률들이 약동하는 이 봄날에 우렁차게 울려 퍼지고 있다.

오늘따라 '바스트리카 프라나야마(풀무 호흡)' 수련에 더욱 맹렬하게 지극 정성으로 그리고 행복한 마음으로 임해본다.

웅크러 있던 가슴 활짝 펴며, 폐는 최대한 확장시킨 채 그간 오염(contamination)된 탁기나 삿된 기운을 마음껏 배출시켜 본다. 심산계곡 산(産) 청정한 공기를 온몸 구석구석 가득 채운다.

마치 갠지스 강물에 몸을 담근 채 두 손 모으고 하늘을 우러르며 간절히 축원하는 그들처럼, 몸과 영혼의 정화(purify)가 끝없이 펼쳐진 히말라야 설원(雪原)의 풍경처럼 순백색으로 이루어지기를 간절히 소망해 보면서.

3. 가장 낮은 곳에서 가장 높은 곳으로,
오체투지 자세(52)

오체투지 자세는 양손, 이마 혹은 턱, 두 무릎, 두 발, 가슴 등 몸의 여덟 군데가 바닥에 닿는 경배 자세이다. 다리와 팔의 근육을 강화시키며 가슴을 확장시켜 폐기능의 활성화를 돕는다.   시연 배수진.

"여의주보다 더 귀한 사람들 모두를 위하여 지극한 행복 이루길 다짐하며 항상 그들을 소중히 섬기리, 어느 누구와 함께 있더라도 스스로 가장 낮은 사람으로 여기고 가슴 깊은 곳에서 그들을 가장 높은 사람으로 소중히 섬기리." 티베트 현자 랑띠 땅빠의 '마음공부를 위한 여덟 가지 노래' 중의 한 구절이다.

예의를 갖추고 공경하는 방법에는 통상 세 가지가 있다고 하는데 그중 하나인 오체투지(五體投地)가 바로 가장 낮은 곳에서 가장 높은 곳을 지향하는 그 자체가 아닐까.
경배 자세로는 양손을 마주하며 허리를 굽히는 동작이 있고, 그다음으로는 무릎을 꿇고 합장을 더해 허리를 굽혀 절을 올리는 형태가 있고, 마지막으로는 머리를 땅에 닿도록 완전히 엎드리는 자세가 있다.

오체투지는 세 번째에 해당하는 것으로 범어로 '단다와드 뿌라남'이라고 한다. 인사하는 법이 나무 막대기 같아서 붙여진 이름으로, 고대에는 전쟁에서 패한 왕이 상대편 왕에게 항복을 선언하며 완전 복종을 하겠다는 의미로 실행되기도 했다. 이것이 티베트 고원으로 넘어가 '예경제불(禮敬諸佛)'의 하나로 굳어졌다. 현재 힌두교에서는 거의 사용되지 않는다. 고대 인도에서 행하여지던 예법 가운데 상대방의 발을 받드는 '접족례(接足禮)'에서 유래했다고도 한다.

오체투지는 두 손, 두 다리 그리고 이마가 바닥에 닿기 때문에 붙여진 이름이다. 보통 티베트 불교에서는 수행 문(門)의 시작과 마지막을 이 오체투지로 열고 닫는다.

오체투지가 수행에 도움이 된다는 큰 장점 중의 하나는 가장 단순한 방법으로 가장 확실하게 하심(下心)을 가능하게 하기 때문이었다. 너와 나는 하나라는 생각으로 내 자신의 이미지의 반영인 상대 안에 있는 신에게 나를 낮추어 온몸과 마음으로 공경하는 것이다.

오체투지는 온몸으로 올리는 일종의 '기도'라고 할 수 있다.

"기도는 신을 변화시키는 것이 아니라 그대를 변하게 만든
다. 기도는 기도하는 자를 변화시키지, 기도의 대상을 변화
시키는 것이 아니다." 오쇼 라즈니쉬의 말이다.

"기도할 때 머리를 숙이는 것은 이기적인 나를 낮추는 작
업이다. 기도를 할 때 자신의 무지와 불완전성을 받아들이
는 겸손함이 필요하다. 기도는 자기 내면과의 대화이며, 진
리의 말씀과 하나 되는 것이다. 기도는 마음의 경직된 근
육을 이완시키고 놓음·버림·비움·바라봄의 철학을 완성하는
길이다. 기도는 마음의 평안을 찾는 영적호흡이며 내면을
밝히는 빛의 축제이다. 절대에 대한 완전한 몰입과 전념,
상념, 헌신, 신애(信愛)할 때만이 현상적인 나를 놓을 수
있다. 그것이 박티 요가(Bhakti Yoga)이다."-(이형록)

'기도'에 대해 법정 스님도 이렇게 말씀하신다. "수행자는
기도로써 영혼의 양식을 삼는다. 기도는 인간에게 주어진
마지막 자산이다. 사람의 이성과 지성을 가지고도 어떻게
할 수 없을 때 기도가 우리를 도와준다. 기도는 무엇을 요
구하는 것이 아니라 그저 간절한 소망이다. 따라서 기도에
는 목소리가 아니라 진실한 마음이 담겨야 한다. 진실이
담기지 않은 말은 그 울림이 없기 때문이다. 누구나 자기
존재의 근원을 찾고자 하는 사람은 먼저 간절한 마음으로

기도를 해야 한다. 진정한 기도는 종교적인 의식이나 형식이 필요 없다. 오로지 간절한 소망을 담은 진지한 기도가 당신의 영혼을 다스려 줄 것이다. 그리고 기도에 필요한 것은 침묵이다. 말은 생각을 일으키고 정신을 흩뜨려 놓는다. 우주의 언어인 거룩한 그 침묵은 안과 밖이 하나가 되게 한다. 어느 인도의 스승은 말하고 있다. "사람의 몸에 음식이 필요하듯 우리의 영혼에는 기도가 필요하다. 기도는 하루를 여는 아침의 열쇠이고 하루를 마감하는 저녁의 빗장이다"라고.

오체투지의 목적 네 가지를 든다면 첫째는 존경의 의미로, 둘째는 오염된 의식을 정화하기 위하여, 셋째는 명상을 하기 위한 준비 단계로, 마지막으로는 공덕을 쌓기 위한 것이라 할 수 있다.

오체투지로 마치 풀보다 더 낮은 자세를 취한 채 아상(我相), 인상(人相), 중생상(衆生相), 수자상(壽者相)을 내려놓고 인간의 탐심(貪心), 진심(瞋心), 치심(恥心)까지도 여의면서, 자존심(自尊心), 아만심(我慢心), 집착(執着)까지도 모두 내려놓고 소욕지족(少欲之足)함으로써 비로소 수행인의 참된 도리인 '하심(下心)'을 실천할 수가 있다는 말이다.
"간절한 절은 무릇 이마가 땅에 닿아야 한다. 아만(我慢)이 사라지게 만들면 이마가 스스로 땅을 찾아 내려가니 오체투지가 확실하다. 이때가 되어서야 내 마음 안에 있는 순례자가 밖으로 나와 그동안 갈망하던 신성함과 만난다."-(임현담)

오체투지 전에 먼저 두 손을 모은 후 시작한다. 제반 종교에서도 두 손을 모으는 것으로 기도나 의식을 시작한다. 두 손을 모으는 것을 합장(合掌)이라 한다. 음과 양, 하늘과 땅, 나와 우주, 아뜨만과 브라흐마의 만남이다. 요가에서는 이를 일러 '아뜨만잘리 무드라'라고 한다. '나'라는 의미의 아뜨만과 '경배하다'는 뜻의 안잘리(anjali)가 합쳐진 말이다. 합장 자세는 경배와 축복의 의미를 함께 담고 있다.

요가 수련에서 합장 자세는 나무 자세(타다 아사나)나 태양경배 자세(수리야 나마스카라 아사나) 등의 두 손을 맞대는 모든 자세에 수반된다. '기도하는 소녀'의 사진은 일찍부터 택시나 버스 운전석 옆에 놓여 있던 눈에 익숙한 모습이었다.

합장 자세는 평온함을 의미하며 자기 자신에게로 되돌아오는 몸짓으로 알려져 있다. 이 자세를 통해 수행자는 자신에게 집중하여 명상에 들어갈 준비를 하게 된다.

'합장 자세는 영적 깨달음을 향한 의지의 발전 가능성을 상징한다.'-(크리슈나마차리야)

'내려온 축복'이라는 뜻의 '파타-안살리(pata-anjali)'는 '파탄잘리'로 음독된다. 그리고 보니 요가경전인 요가수트라를 저술한 저술가의 이름도 '파탄잘리'이다.

티베트인이라면 평생의 소원이 라사에 있는 조캉사원까지의 오체투지 순례라고 한다. 지방에서 출발하여 몇 년 동안 조캉사원을 향해 걸어가는 사람들도 있단다. 이들은 출발 때부터 오체투지를 하면서 가기 때문에 조캉사원에 닿을 때까지 수년이 걸릴 수도 있다. 그러다 보니 가는 도중에 죽는 사람도 더러 있다고 하나, 이들은 아무런 후회 없이 오히려 편안히 죽음을 맞는다고 한다. 놀라운 신심(信心)이다.

이 조캉사원에서 전해진다는 슬픈 이야기로, 아득한 시절에 집이 너무 가난했던 어린 소녀가 이 사원에 제례의식의 하나인 인신공양을 하기 위해 자신을 판다. '티베트판 효녀 심청이'에 해당된다 할 수 있다. 소녀의 몸은 독수리들에게 바쳐지고 남은 어깨나 다리뼈를 추슬러 사찰에서는 피리를 만들었다고 한다. 그 후 사원에서 특별한 의식이 있을 때는 이 피리를 불었다고 하니 참으로 기막힌 이야기다.
그러니 어찌 이 순결한 어린 소녀의 영혼이 깃든 피리 소리를 듣고 가만히 있을 수 있었겠는가?

그토록 처절하고도 비장한 피리 소리를 들으며, 희로애락 애·오욕의 삶, 생로병사의 순환 고리, 인간의 원초적 존재 이유 등을 되묻지 않을 수 있었을까? 이 순간엔 그저 털퍼덕 오체투지로 대지에 온몸을 눕히며 자연과 만물에 대한 경배의 기도를 드리지 않을 수 없었을 듯하다.

[오체투지 / 곽효환]

"물의 기억을 품은 조캉사(大昭寺)를 둘러싼 직사각형 바코르거리 / 고원의 짧은 여름볕 아래 밀려든 사람들 틈새에서/ 한 사내가 몸을 던진다/ 얼기설기 얽은 목발에 휘청거리는 몸을 기대어/ 옆으로 한 걸음 두 걸음 세 걸음/ 두 무릎을 꿇고 오른 손으로 땅을 짚고/ 왼 손과 이마를 땅에 대고/ 두 손으로 공손히 빈 하늘을 받든다/ 그리고 다시 옆으로 하나 둘 세 걸음…

푸른 그늘이 설핏 드리운다

너더너덜한 가죽 앞치마/ 땟물에 젖은 바짓단 아래/ 발목없는 다리를 허옇게 드러내고/ 위태롭게 그리고 끝없이 몸을 던지는/ 지친 검은 얼굴의 사내/ 세상에서 가장 높은 고원에서/ 세상에서 가장 낮은 자세로/ 세상을 두손으로 들어 올린다/ 세상도 사내의 표정도 흔들림이 없다
한계점을 넘을 때마다 흩날리던 타르초가 어른 거린다/ 티베트

고원을 가르지르는/ 얄룽창포강을 거슬러 동남쪽 체탕에서 왔다는/ 그는 안다/ 하늘 가까이 올라갈수록 많은 것을 버려야 한다는 것을/ 가장 높은 곳에 다다르기 위해서는/ 더 많은 걸 버려야 한다는 것을/ 키작은 관목은 커녕 들풀조차 볼 수 없는/ 수목 한계점을 넘어 가장 높은 곳의/ 고독과 쓸쓸함과 위태로움과 고뇌를

얼마나 더 낮은 자세로 그는/얼마나 더 버려야 할까".

'오체투지 자세'를 '아스탕가 나마스카라 아사나(ashtanga namaskara asana)'라고 한다. 아스타는 8을 의미한다. 몸의 여덟 군데가 땅이나 바닥에 닿게 하는 경배 자세라고 할 수 있다. 양손, 이마 혹은 턱, 두 무릎, 두 발, 가슴을 합하여 인체 여덟 군데가 땅이나 바닥에 닿아 있어 붙여진 이름이다. 앞서 언급했던 사찰이나 티베트 등지에서 행해지는 실제 오체투지 자세와는 조금 차이가 있지만 형태는 거의 비슷하다.

먼저 팔꿈치를 구부려 무릎이 닿게 하고 그다음 엉덩이를 약간 위로 든 채 상체를 낮추어 가슴과 이마, 또는 턱을 바닥에 붙인다. 자신을 가장 낮춘 자세를 취함과 함께 겸손함으로 모든 만물들의 존귀함에 경배를 취한다는 마음가짐으로 임한다. 생명에 힘을 주는 존재와 교감하는 만트라

(mantra) 등도 겸하여 실행할 수 있다. 이 자세는 다리와 팔의 근육을 강화시키며 가슴을 확장시켜 폐기능의 활성화를 돕는다. 견갑골 사이의 척추 부위를 자극한다. 고관절에 자극을 주어 좌골신경통 등에 도움이 된다.

"전통적으로 귀의(歸依)를 상징하는 행위로서 오체투지가 행해진다. 귀의하는 것의 의사표시로서 바닥에 몸을 던지는 행위를 반복한다. 동시에 그것은 가장 낮은 곳에 자신을 두고 자신 속에 있는 미숙하고 조잡한 요소를 솔직히 받아들임으로 인하여 심리적으로 자기를 열어 두고, 완전히 귀의하는 것이다. 다시 한 번 가장 낮은 곳에 몸을 던지면 무엇을 잃어버릴 두려움도 사라진다. 그러한 행위에 의해 우리들은 자신을 텅 빈 그릇으로 준비해 두고, 가르침을 받아들일 준비를 갖추는 것이다."-(초감 트룽파)

예루살렘에 있는, 예수 그리스도가 십자가를 메고 걸었던 고난의 길 '비아 도로사'에는 지금도 그 돌길을 전신 포복으로 기어 '성분묘 교회'까지 가는 성직자가 적지 않다고 한다.

'사막이 아름다운 건 어딘가 우물이 있기 때문'이라고 어린 왕자는 말하고 있다. 사막은 우리 자신을 발가벗긴다. 오아시스가 있어 사막이 아름다운 것이 아니라 발가벗겨진 우리 내면의 자연스런 본모습을 보여주기 때문에 아름다운 것 아닐까?

'오체투지 자세(아스탕가 나마스카라 아사나)' 수련을 통해 깊고도 깊은 내 본연의 내면세계와 조우할 수 있었으면 좋겠다.

[오체투지 / 최진태]

티벳성지 카일라스 한바퀴는 오십키로/ 떠남부터 십년 세월 왕복
으론 이십년을/ 기어서 단 한번 순례로 마감하는 인생도

물질과 현세만에 가치 둔 사람들은/ 죽다가 깨어나도 이해못할
행위일걸/ 그러한 반 문명자세 존재자체 불가사의

무릎꿇고 온몸던져 대지에 이마댄다/ 언젠가 돌아갈 곳 흙속에
바람속에/ 낮아져 적멸의 눈에 하고 싶은 입맞춤

설산을 오르는 야크 숨결만큼 숨가빠도/ 다시 또 엎드렸다 일어
서기 반복한다/ 어느덧 번지는 미소 온 몸으로 스며든다

하늘 땅 소리일랑 들어보리 다짐한 채/ 옮기는 일보궁배(一步弓
拜) 멀고 먼 순례의 길/ 꽃피는 모든 것들도 납작업딘 봄날 장엄
(莊嚴)

온 몸던져 하늘 문에 닿고자 하였으랴/ 마음이 가난해져 모든게
화엄(華嚴)세계/ 훨훨훨 날아오르리 하얀 날개 펼치면서

숙일수록 낮출수록 평온하고 맑아온다/ 세상이 더 순하고 세상이
더 깊어져/ 법열(法悅)에 잠기인 채로 영원 속에 침잠한다

4. 인내심·지구력을 키워 주는,

차투랑가 단다 아사나(53)

인간은 직립보행을 하게 되면서 사지(四肢)에 고르게 나누어 실리던 무게 중심이 두 발에 불안정하게 쏠리면서 숱한 근골격계 질환을 앓게 되었다. 차투랑가 단다 아사나는 이를 극복하는 좋은 운동법이다. 시연 박미희.

컴퓨터 공학의 발전에 엄청난 공을 세웠다고 하는 서양장기 '체스'는 6세기나 그 이전에 인도의 굽타 왕조에서 특히 유행했던 장기 형식 게임인 '차투랑가(chaturanga)'에서 유래되었다고 한다.

요가 자세에도 '차투랑가 단다 아사나'가 있다. 웨이트 트레이닝에서는 '플랭크'라는 이름으로 잘 알려져 있다. 체중을 손바닥과 발가락만으로 지탱하며, 몸은 막대기처럼 꼿꼿한 상태로 납작하게 엎드린 자세를 말한다. 팔다리를 막대기처럼 견고하게 만든다는 의미도 있다. 푸시업 자세에서 내려간 자세와 유사하다.

팔과 손목을 강하게 해주고, 복부기관을 수축시키며 몸 전체에 활기를 부여하는 자세이다. 특히 복부에 강한 자극으로 복근 강화 효과가 있어서 많은 사람들이 즐겨 하는 운동이다. 그러나 근력이 약한 사람들에게는 힘들게 느껴지는 자세이기도 하다. 그래서 때로는 무릎을 바닥에 대고 할 수도 있다.

인간은 직립보행을 하게 되면서 사지(四肢)에 고르게 나누어 실리던 무게중심이 두 발에 불안정하게 쏠리면서 숱한 근골격계 질환을 앓게 되었는데, 이를 극복하는 좋은 운동법이다.

'차투랑가 단다 아사나(chaturanga danda asana)'는 두 손 두 발만으로 버티는 자세라 하여, '사지(四肢) 지지 자세', '엎드려 두 손 두 발로 막대기처럼 버티는 자세', '네 부분의 신체로 버티는 자세' 등으로 번역된다. 범어로 차투르(chatur)는 4를 말하고 앙가(anga)는 가지·줄기, 단다(danda)는 막대기·널빤지를 의미한다.

성서에서 넷이라는 의미는 '기다린다'는 뜻으로도 해석되고 있다. 그러므로 '차투랑가 단다 아사나'는 기다림과 인내를 통해 고통과 힘든 시간을 이겨내는 의지를 키우는 자세라 할 수 있다.

여기에 숫자 '4'가 등장한다. 숫자는 우리가 사는 세상 어디에나 존재한다. 바로 서 있거나 뒤집혀 있거나 크거나 작거나 모양도 가지각색인 채로, 언어는 달라도 세계 어느 곳에서나 숫자의 의미는 통한다. 숫자가 또 다른 세계 공통어인 셈이다.

수의 개념은 원시시대부터 시작되었다고 한다. 원시인들이 사냥감을 잡으면서 수의 개념을 만든 것이 최초의 기원이라 할 수 있다. 벽이나 지면·판자 등에 필요한 수만큼 줄을 긋는 방법에서부터 시작되었다.

수에 대한 최초의 기록은 고대 메소포타미아의 쐐기 문자, 이집트의 그림 문자, 중국의 뜻글자에서 찾아볼 수 있다. 현재 쓰고 있는 아라비아 숫자는 이름만 보면 아라비아 사람들이 만든 것 같다. 하지만 아랍인의 발명품이 아니다. 원래 인도에서 유래한 것을 아랍인들이 스페인을 거쳐 유럽으로 전하면서 아라비아 숫자로 불리게 됐다. 2세기경 인도의 산스크리트어에 기원을 두고 있다.

지금부터 약 1400년 전 인도에서는 1에서 9까지의 9개 숫자 외에 0이라는 새로운 숫자를 만들어 그들의 수를 나타냈다. 그 당시 아라비아인들은 중국이나 인도에 가서 무역을 했는데, 여러 물건과 함께 인도로부터 여러 가지 숫자를 배워 왔던 것이다.

아라비아 숫자는 로마 숫자와 비교할 때 그 가치가 대단하다. 일례로 로마 숫자로는 불가능한 계산이 가능하게 되었다. 이러한 획기적인 변화는 불을 발견하고 바퀴를 발명한 것에 버금가는 중요한 의미를 지닌다.

철학자의 수만큼 다양한 고대 그리스 철학 이론 중에서 피타고라스는 세상의 모든 애매모호함을 숫자(digit)로 표현할 수 있음을 발견하고 "만물의 근원은 수(數·number)이다"라는 수학적 우주론을 설파했다.

"현대에 이르러 피타고라스의 발견이 결코 틀리지 않았음이 속속 밝혀지고 있다. 세상에 존재하는 모든 것은 태생부터 고유한 숫자라는 이름을 가지고 태어난다. 물리학에서 말하는 고유진동수가 바로 그것이다. 상대를 읽고, 나를 표현하는 데 한계를 갖는 인간의 불편함을 해소해 줄 디지털 기술들이 경쟁적으로 탄생하고 있다. 미래 준비의 시작은 이 디지털의 이해부터라고 할 수 있다."(이순석)

우리가 일상으로 사용하는 모든 것들에는 수학이 숨어 있지만 우리는 그저 대범한 척 지나친다. 일일이 그 비밀을 알아야 할 필요를 못 느끼기 때문이다. 심지어 음악의 원리 역시 수로 이루어져 있고, 그 원리가 있기에 아름다운 선율이 나오게 되었다.

"인식할 수 있는 것은 모두 숫자를 가지고 있다. 숫자가 없으면 무엇 하나 이해하거나 생각할 수 없다." 기원전 5세기 철학자이며 수학자인 필롤라오스의 말이다.

심리학자 칼융은 "자기가 느끼지 못하는 가운데 영향을 받은 집단의 무의식이 있다. 그리고 이러한 집단적 무의식 속에서 일상생활에 가장 영향을 주는 것은 수(數)다"라고 하였다.

고대 인도에서 수(數)는 브라흐마(Brahma)적인 것, 다시 말해 신성(神性)에 가까운 것이었다. 실제로 고대 인도의 어떤 경전에서는 수가 경배의 대상이 되어 있다.

수에 대해 갖는 이러한 감사들은 세월의 흐름 속에서도 면면히 이어져 왔다. 그리하여 열 개의 손가락, 네 차례 변하는 달의 위상, 그리고 일 년 열두 달로 환원될 수 있는 일견 엄정한 듯한 우리의 수 체계에도 예로부터 전해 내려온 신비스런 의미가 남아 있다.

중세는 물론이고 오늘날에 이르기까지 세계의 대표적인 종교들조차 특정한 수가 갖는 종교적 의미와 신비적인 성격을 인정하고 있다. 왜냐하면 모든 수는 저마다 가진 '힘의

장(場)'을 가지고 있으면서도 서로 긴밀한 관계가 있는 것으로 인식되기 때문이었다.

사람들은 숫자에 특별한 의미를 부여한다. 사람마다 숫자에도 호불호(好不好)가 있게 마련이다. 행운의 숫자가 있는 반면, 이질감이나 불길하게 느끼는 숫자가 있다.

숫자 '4'는 기피하는 숫자의 대명사다. 중국인들은 숫자 4를 지독하게 싫어해 어느 지방 차량번호에는 4가 없다. 홍콩에는 4가 들어간 층이 없는 건물이 많다. 우리 생활 속에서도 4는 불길한 숫자로 여겨지고 있다. 엘리베이터에서도 4는 불길한 숫자로 여겨서 층 표시가 4 대신 F로 표시되거나 아예 4를 건너뛰고 5로 표기된 경우도 있다. 공식적으로도 4자 사용을 꺼리는 습관과 관습도 생겼다. 부지불식간에 4는 한자 죽을 사(死)와 발음이 같다는 이유로 나쁜 의미로 받아들여지고 있는 것이다.

그렇다면 4는 과연 나쁜 숫자인가? 그렇지 않다. 역사적으로 우리 민족은 4라는 숫자를 좋아했다. 4를 죽음의 숫자로 여긴 적이 없다. 길(吉)한 숫자, 행운의 숫자, 성스러운 숫자로 여기는 경우가 적지 않았다.

4는 인간의 일과 생활에 관련된 곳에 많이 사용했다. 방향을 나타내는 동서남북과 계절을 표시하는 봄·여름·가을·겨울도 모두 넷으로 구성돼 있다. 인간으로서 가장 높은 경지에 오른 사람을 일컫는 4대성인(四大聖人), 팔과 다리를 일컫는 사지(四肢), 매란국죽(梅蘭菊竹)의 사군자(四君子), 관혼상제의 사례(四禮), 문방사우(文房四友), 사상의학(四象醫學) 등 자신을 중심으로 네 기둥이 있어 중심이 온전해질 수 있는 수로 생각했다.

고구려 벽화에 나타나는 청룡·백호·주작·현무의 사신도(四神圖), 태극기의 4괘인 건(乾)·곤(坤)·감(坎)·리(離)가 있고, 대학·중용·논어·맹자의 사서(四書)도 있다. 조선시대 왕조 역사를 객관적으로 기록한 왕조실록을 보면 하나만 만든 것이 아니라 네 길을 만들어서 정족산·태백산·오대산·적상산의 네 곳에 보관한 사실에서도 우리 민족이 4를 얼마나 좋아했는지 알 수 있다.

한의학에서는 인삼·백출·백복령·감초를 재료로 하여 기(氣)를 보하는 명약인 사군자탕(四君子湯), 당귀·천궁·백작약·숙지황의 네 가지로 혈(血)을 보하는 명약인 사물탕(四物湯) 등에도 쓰이고 있는 것을 알 수 있다. 뿐만 아니라 학문적으로 일정한 경지 이상에 도달한 사람을 가리켜 4대가(四大家)라 불렀다. 이는 4라는 숫자가 인간의 삶과 가장 밀접한 관계를 가진다고 여겼기 때문이다.

또한 어디에도 친척이 없는 것을 사고무친(四顧無親), 아이들을 교육시키기 위한 교과서인 사자소학(四字小學), 고사성어인 사자성어(四字成語), 맹자께서 말씀하신 4단(四端) 등의 예시에서도 잘 나타나고 있다.

사주(四柱)란 사성(四星)이라고도 하는데 사람의 운명을 떠받치고 있는 네 개의 기둥이다. 글자 그대로 생년(生年)·월(月)·일(日)·시(時)를 말한다.

그럼 우리나라 외에 세계 각국에서는 4를 어떻게 받아들이고 있을까?

고대 그리스의 피타고라스학파에서는 처음 4개의 수인 1·2·3·4를 더하면 완전한 수인 10이 된다 해서 4를 신의 계시인 신성한 수로 생각했다. 그들에게 4는 사물의 근본이나 중심이 되는 중요한 수였다. 세상이 점·선·면·입체의 4가지로 구성돼 있다거나 물·불·흙·공기의 4원소로 이루어졌다고 본 것은 4를 가장 조화로운 숫자로 보았기 때문이다. 이들은 4와 관련된 것이 가장 균형적이라고 생각하는 것이다.

11세기 클뤼니 교단의 성직자였던 로돌프스 글라버는 "4를 통해 우리가 현재 살고 있는 아래 세계와 앞으로 다가올 저 위의 세계를 이해하게 된다"며 숫자 4를 찬미했다.

앞서 언급한 바 있는 분석심리학의 창시자인 칼 구스타프 융 역시 4와 관련된 숫자의 비밀을 중심 화두로 삼았다. 꿈에서 나타난 4의 숫자를 무의식의 표출로 보았다. 가톨릭 신자인 빅터 화이트는 '영혼과 질서(soul and psyche)'에서 "프로이트가 '섹스'로 해결한 것을 융은 '4'로 해결했다"라고 지적했다. 즉 융은 자신의 심리적 토대를 '4'에 두었던 것이다.

고대 중국인들은 자신들의 나라를 '사해(四海)의 나라' 또는 '사해(四海)의 지배자'라고 생각했다. 사해는 세계를 의미하며, 4는 동서남북 모든 방향으로 통한다는 뜻을 담고 있다. 결국 '4는 죽음'이라는 생각은 우리가 한자를 쓰면서 나쁜 의미를 부여한 것이라고 볼 수밖에 없다.

미국에서 들어온 스포츠인 야구 경기의 4는 아주 중요한 타자의 자리이다. 또한 볼 4개를 얻으면 1루에 진출할 권리가 획득된다. 내야수는 1루수·2루수·3루수·유격수 4명으로 구성된다. 야구에서 한 타석에서 얻을 수 있는 가장 많은 점수는 4점이며, 타자가 만루 홈런을 쳤을 때 얻을 수 있다.

농구선수 등번호는 4번부터 시작하는데 보통 4번을 단 사람이 주장이다. 축구 경기장부터 체스 판에 이르기까지 모든 경기도 사각의 틀을 기본으로 삼는다.

네잎 클로버는 행운의 상징으로 알려져 있다. 또한 4는 안정적인 숫자다. 자동차 바퀴가 4개인 것만 보아도.

'싱글 레이디(single ladies)', '크레이지 인 러브(crazy in love)' 곡으로 유명한 미국의 알앤비 가수 비욘세 놀스의 음반 '4'(2011년 6월 발매)는 네 번째 정규음반으로서 앨범의 제목인 '4'의 의미는 비욘세의 행운의 숫자이면서, 팬들의 요청을 수용한 것이라고 한다. 발매 첫해 빌보드 200에서 1위로 데뷔했다.

특수 상대성 이론을 이야기할 때 항상 들어온 말이 4차원이다. 보통 알려진 대로 1차원은 선, 2차원은 평면, 3차원은 보통 우리가 사는 공간이다. 우리가 사는 3차원의 공간의 점을 표시하는 세 개의 숫자 이외에 여기에 시간을 더 첨가하여 네 가지 숫자가 필요하다는 의미에서의 4차원이다.

바이올린·비올라·첼로·콘트라베이스 또는 바이올린1·바이올린2·비올라·첼로의 합주를 현악 4중주라고 한다. 첼로·비올라·우쿨렐레의 현은 네 줄이다.

4라는 숫자는 지상 세계의 완전성을 표시하는 숫자였다. 4는 십자가에 바탕한 세속적 질서, 즉 지상의 질서를 주로 나타냈다.

구약성서에서 하느님의 이름 야훼(YHWA)는 네 글자(Tetra gramaton)라는 말로 대치되는 용어가 되었고, 낙원의 네 줄기 강은 4대 복음서의 예시이며, 복음사가의 상징물이 된 에제키엘서의 네 동물, 4대 예언자, 4대 교회박사, 4대 천사 등도 4와 관련된다.

동서남북의 그리스어 첫 글자를 따서 아담(adam)을 표시 하였다고 한다.

영어에서는 앞뒤가 꽉 막힌 사람을 가리켜 스퀘어 맨 (square man)이라는 표현을 쓴다. 니체 역시 자신이 생각 하는 이상적인 인간형은 몸과 마음이 반듯한 사람이라 했 다.

4와 4방위의 관계는 신(神)의 형상으로도 표현된다. 브라흐 마 신은 네 개의 머리로 4방위를 상징한다. 시바신은 네 개의 팔로 춤추면서 세상을 파괴하고 다시 창조한다. 힌두 교에서는 하늘의 소가 네 개의 젖통으로 네 개의 젖줄을 유출한다고 말한다.

부처는 속세에 얽매인 고통에서 벗어나기 위한 네 가지의 성스러운 진리인 고집멸도(苦集滅道)의 사성제(四聖諦)를 가르쳤다.

경전을 마태·마가·누가·요한복음의 네 권으로 묶는 것은 기독교 전통에서만 한정되지 않는다. 인도인들도 네 권의 리그·사마·야주르·아타르바 베다를 보유하고 있다. 이슬람교에서도 네 권의 성전 율법, 성가, 복음 코란이 있다.

초기 이슬람시대에는 네 명의 정의로운 칼리프(마호메트의 후계자)라는 칭호가 지배했다. 수피교도 4의 질서를 중시했다. 이들은 인간의 발전 과정을 네 단계로 구분했다.

원래 이집트에서 만들어졌지만 시간이 지나 카발라에 동화된 카드놀이인 타로트(22장이 한 벌인 트럼프)의 네 가지 색깔도 실은 우주의 네 부분에 맞춘 것이다. 타로트 카드의 네 가지 색깔인 흑·백·적·녹색은 오늘날 우리가 사용하는 카드에서도 주를 이루고 있다.

인간의 삶을 학습기(學習期)·가주기(家住期)·임서기(林棲期)·유행기(流行期)의 네 단계로 구분하고 무소유의 금욕주의자가 되는 마지막 단계에서 절정을 이루는 인도의 가르침도 있다.

힌두교의 '카스트 제도'도 4의 질서와 관계가 있다. 카스트는 원래 색깔을 뜻하는 산스크리트어인 바르나(varna)에서 비롯된 말로, 브라만·크샤트리아·바이샤·수드라로 이루어진 세습적 신분 및 계층이다.
세계문명의 발상지도 인도의 인더스강 등 4곳으로 분류한다. 지구의 모양을 정방형으로 상상했던 것처럼, 세계의 축소판이라 할 수 있는 도시 역시 정방형으로 구획되었다. 도시를 정방형으로 건설한 것은 아주 오래전의 시기로 거슬러 올라간다. 인도 북서부 인더스강 계곡에 위치했던 모헨조다로는 이미 기원전 3000년경에 완벽한 정방형 꼴의 도시로 구획되고 건설되었다.

로마는 그 모양 때문에 예전에는 로마 쿠아드라타(quadrata)로 불리었다. 여기에서 유래하여 쿠아드라타는 주택이나 정방형으로 구획된 주거공간의 상징으로 되었다.

특정한 의미가 있어서가 아니라 왠지 4라는 숫자는 기분 나쁘다는 문자 관습상에 의하여 만들어진 이러한 숫자 개념은 우리나라에만 존재하는 것이 아니라 나라별로도 독특한 의미를 가진 싫어하는 숫자들이 존재한다. 전술했듯이 중국인들은 4의 발음이 죽을 사(死)와 비슷하다 하여 4라는 숫자를 매우 기피한다. 일본 사람들은 4와 괴로울 고(苦)와 발음이 같은 9를, 이탈리아인들은 죽는다는 의미의 17을, 미국은 예수님이 승천한 날 13일의 금요일이라는 이유로 13을, 베트남은 8을 싫어하는데 이유는 중국인들이 가장 좋아하는 숫자라 무조건 싫어한다나.
반면에 인도인들이 가장 선호하는 숫자는 9다. 부(富)의 여신 락슈미와 관련된 숫자이며, 신(神)의 표상인 수 3의 제

곱이며 한 자리로 적을 수 있는 가장 큰 수 등의 이유다. 그래서 고대부터 9는 창조의 신 브라흐마의 수라고 여겼다. 9가지 보석을 이용한 보석요법도 숭상되었던 적이 있다. 그런 연유로 VIP번호판 9999는 거래액이 상상을 뛰어넘었다고 할 정도다.

알고 보면 이렇듯 '4'만큼 매력적인 숫자도 없는 듯하다. 수학자의 숫자이기도 하고, 예술가·이론가·철학자·신비가·종교가의 숫자이기도 하지 않는가.

이제 그만 숫자 '4'의 잘못된 편견에서 벗어날 때가 되지 않았을까? 4를 종합하여 표현한다면 풍요와 완성이고 완전이며 전체의 상징이라 할 수 있다. 여기에 인내까지 더하여진다. 사각형은 땅을 나타내며 동서남북을 가리킨다. 그리고 온 세상을 말한다. 또한 연극 스테이지를 연상하기도 한다. 이 스테이지는 어쩜 우리가 현재 살아가고 있는 인생의 무대일 수도 있다.

우리는 그 안에서 삶과 죽음을 연기해야 하고 남을 불쌍히 여기는 측은지심(惻隱之心), 자신의 옳지 못함을 부끄러워하고 남의 옳지 못함을 미워하는 마음인 수오지심(羞惡之心), 겸손하여 남에게 양보하는 마음인 사양지심(辭讓之心), 잘잘못을 분별하여 가리는 시비지심(是非之心)의 사단(四端)과 기쁨·노여움·슬픔·두려움·사랑·미움·욕망인 희노애구애

오욕(喜怒哀懼愛惡欲)의 일곱 가지 인간의 자연적 감정인 칠정(七情)을 연기해야 한다.

우리는 어쩜 지구별에 떨어져, 각자에게 맡겨진 역할연기를 하는 연극배우일지도 모른다.

사방으로 툭 터져 아무 장애가 없는 것을 사통팔달(四通八達)이라고 한다. 우리의 매일매일이 이렇기만 한다면 얼마나 좋을까마는 현실은 그리 녹록지 않다.

그래도 창밖을 보라. 만화방창(萬化方暢)의 봄이다. 비발디의 4계(季) 중 봄의 소리 왈츠 곡이라도 들어보시라. 만물이 용솟음치며 약동하는 이 봄날 우리에게도 희망찬 미래의 시간들이 눈앞에 펼쳐지고 있음을 느껴보시라.

목련꽃 살구꽃 복사꽃 앵두꽃 벚꽃의 꽃망울이 줄줄이 툭툭 터지는 소리도 들어보시라. 얼마 후 눈앞에 펼쳐질 무릉도원을 상상해 보는 것만으로도 행복해진다. 절로 감사의 기도가 나올 법도 한 계절이다.

우리는 힘들고 고단했던 시간들을 묵묵히 인내하고 견디면서 예까지 왔다. 때론 삶의 무게에 눌려서 비틀거리기도 하면서, 그냥 풀썩 주저앉고 싶었던 순간에도 자신을 추스르며 그래도 이만큼 고만고만하게 잘 살아오고 있지 않은가? 자신이 대견하다는 생각이 들지 않는가?

그간 움츠리고 있었던 가슴을 활짝 열어보자. 오늘은 그렇게 수고한 나에게 뿅뿅 하트라도 한 다발 날려주는 게 어떠할지? 지난(至難)한 시간들 잘 버티고 이겨 내주어 고맙다는 말과 함께 나를 위로하고, 나를 격려하고, 나를 칭찬해주는 시간이 되었으면 좋겠다. 앞으로도 잘 견디고 잘 이겨내며 잘 헤쳐 나가길 기원하는 마음도 담아서.

이렇듯이 때론 고단함과 힘든 시간에 맞서 참고 기다리는 인내력을 키워주는 '차투랑가 단다 아사나' 수련 중에 문득 떠오른, "현재의 견딤은 미래의 효용을 결정한다"는 격려의 말귀를 가슴속에 고이 새겨본다.

(*위의 본문 내용들 중에는 각종 블로그 등 인터넷 매체 등에서 참조·인용한 부분도 다수 포함되어 있음.)

['4(四)' / 최진태]

4라는 숫자라고 까닭없이 혐오기피/ 마음에 달려있네 편견일랑 깨부수리/ 행운의 네잎클로버 역발상의 아이콘

[수(數 numbers) / 최진태]

우리 일상 모든 것에 수학이 숨어있군/ 현대의 모든 문명 이 숫자 덕분이라/ 역시나 만물의 근원 수(數)라는걸 실감한다

디지털 이해없인 생활자체 안된다네/ 현대의 원시인류 소리듣기 시간문제/ 아날로그 위한 배려도 해줌직도 하다만

[차투랑가 단다 아사나 / 최진태]

사지(四肢)란 두 손 두 발 지칭한 말이라네/ 네 발에서 두 발 보행 바뀐 것을 진화란다/ 얻는 것도 많았지마는 잃는 것도 많았군

근골격계 숱한 질환 숙명인냥 따라왔다/ 원래의 모습대로 몸의 형상 취하는게/ 건강을 유지하는 길 그것만이 최상책

몸 거꾸로 뒤집는 동작 최고의 명약이고/ 차투랑가 단다사나 이 역시 멋지다오/ 힘들고 고달프지만 즐기면서 하소서
견디고 버티면서 사는게 우리네 삶/ 이 동작 취하면서 인내심도 배양하고/ 지구력도 함께 키워서 헤쳐가세 풍진(風塵)세상

5. 사랑이 들어오는 눈을, 트라타카 정화법(55)

눈 정화법인 '트라타카(trataka)'는 어떤 물체를 응시한 후 시선을 고정한 채 눈을 깜빡거리지 않고 버티는 것이다. 눈을 강화하고 깨끗이 해 준다.
시연 안순흥·

"술은 입으로 들어오고/ 사랑은 눈으로 들어오네/ 우리가 늙어서 죽기 전에 알게 될 진실은 이것뿐/ 잔 들어 입에 가져가며/ 그대 바라보며 한숨짓노라."

이 시는 20세기 영국 시의 거장 W.B 예이츠가 노래한 '음주가(Drinking Song)'이다. 귀로 듣고 코로 냄새 맡아서라기보다 먼저 눈으로부터 사랑이 시작된다고 얘기하고 있다. 그래서 사랑은 먼저 눈으로 본 후에 그다음 가슴이 뜨거워진다는 말이리라.

'눈이 긴장하면 몸이 긴장하고 몸이 긴장하면 마음 또한 긴장한다'라는 말이 있다. 만약 몸 상태가 좋지 않고 마음이 긴장된 상태라면 제일 먼저 눈의 건강부터 신경 써야 한다. 눈 건강은 평정한 몸과 마음 안에서 나온다.

옛말에도 '몸이 천 냥이면 눈은 구백 냥'이라며 눈의 중요성을 강조해왔다. 우리가 외부로부터 얻는 정보의 약 80%는 거의 눈을 통해서 이루어진다. 눈은 시각 정보를 수집하여 뇌로 전달하는 기능을 가진 감각기관이다. 눈은 시각 정보를 수집하고 이를 전기·화학 정보로 변환하여 시신경이라는 통로를 통하여 뇌로 전달하는 기관을 말한다. 한의학에서는 눈은 간과 통하는 구멍이며 오장의 정기가 모이는 곳으로 인식한다. 오장의 정명(精明)이 모두 눈에 모이기 때문에 눈을 통해 사물을 볼 수 있다고 생각하는 견해이다.

'화룡점정(畵龍點睛)'이란 사자성어가 있다. 중국 양나라의 장승요가 금릉(남경)에 있는 안락사라는 사찰 담벼락에 네 마리의 용을 그렸는데 눈만 그리지 않았다. 그는 다른 사람에게 "만약 눈을 그리면 용은 날아가 버릴 것이다"라고 말하였다. 사람들이 믿지 않자 그는 그중 두 마리의 용에 눈을 그린다. 그러자 갑자기 하늘에서 번개가 쳐서 담장을 부수었고, 그 두 마리의 용이 하늘로 날아갔다. 그렇지만 눈을 그리지 않은 용은 여전히 벽에 있었다. 이것이 '화룡점정(畵龍點睛)'이라는 고사다.

이때부터 가장 중요한 부분을 마무리하여 일을 완벽하게 완성할 때 쓰이는 말이 되었다. 그래서 '동양화를 그릴 때 가장 그리기 어려운 부분이 눈이다'라고 하는 모양이다. 이 말에 반대되는 의미로는 '다 된 밥에 재 뿌리기'라는 속담이 있다.

'괄목상대(刮目相對)'란 말은 '눈을 비비고 상대방을 대한다'는 뜻으로 상대방의 학식이나 재주가 갑자기 몰라볼 정도로 나아졌음을 이르는 말이다. '일목요연(一目瞭然)'이란 말도 한 번 보고 대번에 알 수 있을 만큼 분명하고 뚜렷한 걸 말한다.

'태풍의 눈'은 폭풍 전야의 고요라는 말이 있듯이 태풍이 접근하기 전에는 날씨가 맑고 조용하다.

'안광(眼光)이 지배(紙背)를 철(徹)한다'라는 말도 있다. 눈빛이 종이를 뚫는다는 뜻으로 이해력이 뛰어남을 이르는 말이다.

조연현(1920~1981)의 대표 수필 '눈의 사상'은 눈에 대해 잘 기술한 명문장이란 평을 받고 있다.

"눈은 무언의 언어이며, 그 무언의 언어가 항상 설명을 초월해 있기 때문에 그것은 언제나 가장 정확한 언어이기도 하다. 눈은 인간이 그 육체 속에 가지고 있는 유일한 영혼의 창문이다. 눈은 외부로부터 자기의 영혼을 넘어다보게 하는 유일한 창문인 동시에, 자기의 영혼이 모든 외부를 바라다 볼 수 있는 유일한 창문이기도 하다. (중략) 사람은 눈이 밝아야 한다. 광명 속에서도 암흑을 볼 줄 알아야 하고, 암흑 속에서도 광명을 볼 줄 알아야 한다. 그리고 가까운 것과 한가지로 먼 곳도 볼 수 있어야 한다. 그러나 사람의 눈만큼 그 시력의 성질에 차이가 많은 것도 없다. 보지 못한 수천 년의 지난 역사를 투시하는 것도 사람의 눈이며, 매일 같이 만나는 사람의 마음속을 보지 못하는 것도 사람의 눈이다. 눈앞에 있는 이해관계밖에는 보지 못하는가 하면, 천년 후의 인생을 볼 수 있는 것도 사람의 눈이다."

전 세계적으로 분포된 신화·전설 중에는 눈에 관한 재미있고 흥미로운 이야기가 많다.

중국의 거인 반고는 죽은 후 왼쪽 눈은 태양이, 오른쪽 눈은 달이 되었다. 또한 북방의 장미산에 촉룡이라는 신이 있어서 눈은 얼굴의 정가운데에 세로로 붙어 있는데, 이 눈을 뜨면 밝아져서 낮, 감으면 밤이 된다.(산해경)

이집트 태양신 '라'의 오른쪽 눈은 낮이며, 왼쪽 눈은 밤이 된다.(아멘 라 찬가)

그 눈은 세트 신의 공격으로 중상을 입었는데, 토토 신이

뱉은 침에 의해서 얼마 후에 회복 되었다.(사자의 서)

바빌로니아의 천지 창조 이야기 '에누마 에리슈'에 의하면 여신 티아모토의 두 눈은 유프라테스 강과 티그리스 강의 원천이 되었다.

이집트 신화의 호루스는 모친 이시스의 목을 친 벌로서 세트의 손으로 두 눈이 도려내졌고, 세트는 이를 산에 묻어서 두 눈이 대지를 비추도록 하였는데 두 눈은 구근(球根)이 되어서 로터스(연꽃)가 되었다.

힌두교 시바신의 세 눈 중 미간 사이의 한 눈이 불에서는 백호로 변했다고 한다.

일반적으로 눈이 두 개 있는 것은 보통 사람으로, 3개 있으면 초인이나 신을 나타내고 있다.

인도에서는 고대 그리스의 뮤즈와 비교되는 매우 아름다운 미녀 티로타마를 바라보기 위해서 인드라 신에게 1000개의 눈이 생겼다는 설이 있다.

그리스 신화에서 100개의 눈을 가진 아르고소가 일순간의 수면으로 모든 눈을 감은 순간에 헤르메스에게 목을 잘린다.

'왕새요집'에는 아미타불의 눈에서 밝힌 빛은 사방에 분지해서 시방(十方)을 비추고, 푸른빛에는 푸른 불이 흰빛에는 흰 불이 있어서 초인적인 힘을 나타낸다고 하였다.

이같이 고대의 사람들은 눈에 대해서 무척 관심이 많았던 모양이다.

그건 오늘날에도 마찬가지로 아름다운 눈을 가지고 싶어하는 욕구는 더하면 더했지 변하지 않은 듯하다. 진부하지만 여전히 젊은이들 사이에 작업 멘트로 알려진 '그대 눈 속에 퐁당 빠지고 싶다'는 소리를 들으면 '훗' 웃음이 나오겠지만 그래도 심쿵한 것은 변함없을 듯.

사람이나 동물의 감각기관인 눈은 신체의 구성요소 중에서 가장 가치 있는 것으로 여겨진다. 그래서 총기가 넘치는 자를 가리켜 '눈이 빼어나다'라고 하였고, 용모가 다소 미흡한 자를 가리켜 '시력이 약하다'라고 완곡하게 묘사하였다.

고대로부터 여성들이 눈썹과 속눈썹, 그리고 눈 주변을 짙게 화장하여 아름다움을 부각시켰던 것은 이런 사실과 무관하지 않은 듯하다.

역시 성경에도 눈에 관한 구절이 많이 등장한다. 자기 눈 속의 들보는 보지 못하고 형제의 작은 티를 보는 자를 꾸중하였다.

사도 바울은 에베소 교인들을 향해 '마음의 눈을 밝히라'고

권면하였다.

'내 계명을 지키며 살며, 내 법을 네 눈동자처럼 지켜라' '이스라엘을 자기의 눈동자같이 지키셨도다' '나를 눈동자 같이 지키시고 주의 날개를 그늘 아래에 감추라' '내 눈과 약속하라 눈으로 범하는 죄, 곧 안목의 정욕에 빠지지 않기를 결심하라' 등이다.

봄날에는 도다리가 제철이다. 특히 통영 등지에서는 봄날 '도다리 쑥국'이 명물이다. 헌데 도다리와 광어 구분이 쉽지 않다. 그러나 우측에 눈이 있으면 광어요, 좌측에 눈이 있으면 도다리라는 뜻으로 '우광좌도'란 말로 깔끔하게 정리된다.

헤겔 미학은 아름다운 예술의 철학을 의미한다. "눈 속에 영혼을 집중하니 오로지 눈을 통해서 볼 뿐만 아니라 눈 속에서 보이기도 한다. 눈은 영혼의 자리이며 정신을 현상시킨다"고 강조하며 예술은 이처럼 모든 것을 영혼으로 삼아 눈으로써 정신을 나타나게 한다고 말한다.

판소리에 '눈'이란 말은 '눈을 내준다' '눈을 찾는다' 등과 같이 소리꾼의 고수(鼓手)에게 지어주는 장단의 매듭과 같은 뜻이다. 근래에 들어서 '눈대목'이란 말은 판소리의 가장 감동적인 대목을 지칭하는 것으로 바뀌어 사용되고 있다. 예를 들어 판소리 춘향가에서의 '사랑가', 흥보가의 '흥보 박타는 대목', 심청가의 '심봉사 눈뜨는 대목'과 같은 것이다.

매년 11월 11일은 '눈의 날'이다. 국민의 눈 건강을 위해 1956년 제정한 날이다. '눈의 날'의 날짜 '11'은 웃는 눈의 모양을 상징하고 있다. 이처럼 공식적 기념일이 아닌 상업적 기념일인 '빼빼로 데이'도 같은 날이다.

동물들의 눈에도 관심을 돌려 보면 움직임에 민감한 개구리의 눈, 포유류 중에서 시력 좋기로 유명하며 체온을 느낀다는 기린의 눈, 시야가 넓은 물고기의 눈, 사람보다 8배나 뛰어난 매의 눈도 있다. 마다가스카르 섬의 카멜레온 생태를 보면 목은 짧지만 눈을 따로따로 360도 회전할 수 있어서 주위의 물체를 더 넓게 볼 수 있다.

눈과 관련된 음악들도 많다. "그 태양보다도 더 아름다운 너의 눈동자, 오 나의 태양이여, 그것은 빛나는 너의 눈동자"의 가사가 가슴에 와닿는 '오 솔레 미오(O Sole Mio)'는 사랑하는 이의 눈동자를 태양에 비유한 칸쵸네의 태양이라 할 수 있는 스케일이 큰 명곡이다.

'뷰티플 브라운 아이즈(Beautiful Brown Eyes)' 역시 아름답고 낭만적인 왈츠 풍의 노래이다. 그리고 더없이 경쾌하고 힘찬 곡인 '아이 오브 타이거(Eye Of The Tiger)'는 실베스터 스탤론이 주연한 '록키' 영화의 주제곡이다.

국내 가요로는 70년대 흘러간 곡으로 "그날 밤 이슬이 맺힌 눈동자 그 눈동자/ 가슴에 내 가슴에"로 시작되는 이승재의 '눈동자'가 있다.

또한 "지금 그 사람 이름은 잊었지만/ 그 눈동자 입술은/ 내 가슴에 있어"가 도입부인 박인환 작시, 박인희가 부른 '세월이 가면' 곡 등은 연배 있는 분들에게는 한없이 아련한 추억의 노래이기도 하다.

네팔 스투파의 '몽키 템플'에서는 세 개의 눈을 가진 의인화된 불탑을 만나게 된다. 자세히 보면 미간 사이에 눈이 하나 더 있다. 제3의 눈이라고 하는 것이다. 인간의 마음을 꿰뚫어 보는 눈이라 한다.

몇 년 전에는 인도에서 눈이 세 개인 송아지가 태어나 화제를 모은 적이 있다. 인도 남동부 타밀나두 주(州)의 작은 마을 콜라설에는 해마다 수많은 방문객이 이 송아지를 보기 위해 걸음을 재촉한다. 언뜻 보기에는 기형적인 신체를 타고난 송아지로 치부될 수 있으나 이곳 주민들 사이에는 시바의 화신으로 신성시 되고 있다니 웃어야 할지 울어야 할지.

우리 몸의 양 눈 사이에는(머리 뒤로 5분의 3 지점) '제 3의 눈'이라고 불리는 솔방울 모양의 '송과체(松果體)'가 있다. 소 울음소리가 들리는 곳이라고도 한다. 옴(Ohm)이라는 비자(bijja·씨앗) 만트라가 이곳을 자극하기에 최적의 음(音)이라고 하여, 예로부터 '옴'이란 만트라를 '하늘의 소리'라 하여 매우 신성시 여겨 왔다.

가톨릭 중심 바티칸 광장에서는 세계에서 가장 큰 솔방울 조각상이 있고, 1달러짜리 지폐에도 제3의 눈이 그려져 있다. 붓다의 이마에 있는 점 백호도 제3의 눈을 상징한다.

성경에도 "몸의 빛은 눈이니 그러므로 그대의 눈이 하나가 되면 온몸이 빛으로 가득하리라"는 구절이 있다.

과학자들은 최근에 눈이 없는 멕시코의 장님 물고기가 송과선을 이용하여 바깥세상을 볼 수 있다는 것을 발견하였다.

이처럼 고대 인도의 요기들과, 로마교회에서부터 시작하여 미국 갱단에 이르기까지 '송과체(松果體)'를 비밀스럽게 관리해 왔다.

비밀의 샘, 영혼의 자리, 제 3의 눈(The Third Eye), 천안(天眼), 솔방울샘, 심안(心眼), 천목(天目), 산근(山根), 상단전, 시바의 눈, 아즈나 차크라, 인당혈(印堂穴), 니환궁(泥

丸宮), 영안(靈眼), 도가에서는 황정(黃庭), 곤륜(昆崙)이라 부른다. 서양에서는 윗궁창 하늘 마을이라고도 부르며 우리 말로는 골밑샘이라 불리는 뇌의 간뇌 부위에 위치한다.

이 송과체는 지혜의 자리로 간주되며, 제3의 눈이 각성되기 시작하면서 통찰력이나 직관력, 두뇌의 정보처리 능력 등에서 월등한 진보가 생기게 된다. 마음의 경계를 가로질러 정신체를 초월할 수 있는 곳으로 여겼다.

전 세계적으로 다양한 수행법이 있어 어떻게 하면 이 제3의 눈을 각성시키고 이 기관에서 얻어지는 신비롭고 초인적이며 영적인 파워를 자신의 것으로 할 수 있을 것인가에 대해 탐구하는 많은 연구와 노력을 기울여 왔다.
인도 여인들의 이마를 보면 두 눈 사이에 점이나 스티커가 붙여져 있는 것을 흔히 본다. 이는 제3의 눈 빈디를 의미하는데 빈디는 힌디의 빈두에서 유래된 말로 방울을 의미한다. 이는 양미간에 제3의 눈이 있다고 믿고 있기 때문이다.

요가 수행에서는 육체의 건강을 돕는 '정화법(사트 카르마·sat karma)'이 있다. 그중 눈의 정화법인 '트라타카(trataka)'가 있는데 '한 점 집중 수련법'이다. 트라타카는 눈을 깜빡이지 않고 촛불이나 지평선, 나무의 끝자락, 보름

달, 혹은 작은 점, 눈높이로 벽에 고정시킨 검정색 등 한 가지 대상을 응시하는 것이다.

이것은 눈을 강화하고 깨끗이 해준다. 마음의 초점을 맞추고, 동요하는 경향을 억제해서 일점 집중하여 통찰력을 일깨우는 것이 목적이다. 이 방법은 어떤 물체를 응시한 후 시선을 고정한 채 눈을 깜빡거리지 않고 버티는 것이다.

눈을 떴어도 눈물이 흘러내릴 때까지 집중한다. 그리고는 '네트라 반다(netra banda)'라 하여 눈을 크게 떴다가 꼭 감았다 하는 걸 반복하면, 눈물 등 눈 속 노폐물을 밖으로 밀어내게 된다. 이 역시 안근을 강화시키고 눈을 정화시키는 효과가 있다.

물체를 사진 찍듯이 기억하여 눈을 감고도 그 대상을 읽어낼 수 있어야 한다. 눈이 가는 곳으로 마음이 가듯, 눈이 머무는 곳에 마음을 집중하는 방법이다.

나쁜 시력에 영향을 주는 요인으로는 인공조명에 오랫동안 노출된 생활을 하거나, 지나친 TV 시청, 장시간의 컴퓨터·스마트 기기 작업이나 게임 등은 눈 자체를 혹사시킨다. 영양실조, 긴장과 스트레스, 노화 등도 그 원인이 된다. 흔들거리는 차 안에서의 스마트폰 사용이 그렇고, 심지어 걸어 다니면서도 고개를 숙이고 휴대폰에서 눈을 못 떼고 있을 정도이니 보행의 안전은 물론이고 눈의 건강이 심히 우려되는 모습들이다.

그러므로 40분 정도 전자기기를 사용했다면 10분가량 눈을 쉬게 하고, 휴식 시간에는 창밖 등 먼 곳을 바라보며 눈 근육의 긴장을 풀어주는 것이 필요하다. 가까운 곳을 오래 봤다면 반대로 먼 곳을 바라봄으로써 눈 근육을 쉬게 해주는 것도 필요하다.

이 밖에 눈의 피로를 풀어주고 좋아지게 하는 지압요법도 권한다. 양 눈 사이에 있는 청명(晴明)혈, 관자놀이 부근의 태양혈, 눈썹의 안쪽 시작 부문인 찬죽혈, 눈썹의 바깥쪽 끝부분인 사죽공혈, 눈동자 바로 아래 승읍혈, 동공 위쪽에 있는 양백혈, 엄지와 인지 사이의 합곡혈, 뒷머리 아래쪽에 위치한 풍지혈 누르기 등이다.

눈 건강을 위해서는 음식 역시 소화가 잘 이루어지고 배설을 순조롭게 하는, 즉 장에 체류하는 시간이 짧고 가스를 많이 발생시키지 않는 자연식의 섭취가 요구된다. 따라서 장에 머무는 시간이 긴 육식이나 지방이 많이 함유된 식단, 화학조미료가 많이 첨가된 음식 등은 피하고 가능하면 섬유질을 많이 함유한 야채식을 할 것을 권한다. 한의학에서는 눈을 간의 상태가 나타나는 부위로 본다. 따라서 간 기능을 높이는 식품 섭취도 눈 건강에 도움이 된다.

이 밖에 눈의 피로를 덜고 안근을 강화시키는 눈 운동, 눈 요가로는 손바닥을 뜨겁게 문지른 후 눈에 대기, 수시로 눈 깜빡거리기, 눈동자 빙글빙글 굴리기, 고개를 고정한 채 양쪽 측면 보기, 고개를 고정한 채 회전하는 것 보기, 고개를 고정한 채 위아래 보기 등도 눈 건강에 도움이 된다.

사람에게는 3개의 눈이 있다. 제1의 눈은 '육체의 눈'이다. 이 눈으로 형체와 색깔·빛을 본다.

제2의 눈은 '마음의 눈'이다. 이 눈으로 생각하고 추리하고 상상한다. 마음은 눈은 곧 이성의 눈이기 때문이다.

제3의 눈은 '영(靈)의 눈'인데 아무런 움직임 없이 그저 지켜보고 아는 눈이다. 아무런 모양도 빛깔도 소리도 맛도 냄새도 느낌도 움직임도 없으면서 모든 것을 지켜보고 아는 관조(觀照)의 눈, 영(靈)의 눈이다.

달마는 '직지인심 견성성불(直指人心 見性成佛)'이라 하여 직접 손으로 사람의 천안(天眼) 즉 천목혈(天目穴)을 열어 깨달음의 경지에 이르게 하는 방법을 전한 바 있다.

제3의 눈을 열게 되면 직관력, 예지력, 천리안, 통찰력 등으로 불릴 수 있는 기능들이 발달한다. 제3의 눈은 우주의 정보를 받아들이는 기관이기 때문이다. 해부학적으로는 송과선과 연결되어 있다. 철학자 데카르트는 송과선을 육체와 정신이 만나는 점이라고 생각하였다. '영혼의 의자'라고 호칭하기도 했다.

요가에서 이곳을 '아즈나 차크라'라고 한다. 이곳은 특히 질서를 상징한다. 단 두 장의 연꽃잎으로 그려진 얀트라이다. 이는 시바와 삭티라는 남성적 원리와 여성적 원리가 따로 떨어지지 않고 완벽하게 결집된 모습을 나타낸다는 의미가 있다.

따라서 '제3의 눈'이란 문화와 수행체계에 따라 명칭은 다를지라도 전 세계적 공통적으로 영성(靈性)을 깨우치는 눈으로 알려져 있다.

오늘 '트라타카 촛불 명상법'으로 이 신비의 블랙홀, '제3의 눈' 속으로 깊이 침잠해 볼 수 있기를 소망해 본다. 아니면 '뷰티플 블랙 아이즈'의 그대 눈동자에 '트라타카, 한 점 응시 수련법'으로 눈물나게, 눈물 쏙 빠지게 눈 맞춤 한 번 해볼거나.

헌데 그 님은 어디 계실까? 멀리서 "사랑한다고 말할걸 그랬지/ 님이 아니면 못산다 할 것을~" 김추자의 '님은 먼 곳에' 노래 소리가 나른한 봄날에 환청처럼 들려오는 듯한데 말이다.

[촛불명상 / 최진태]

붉디 붉은 열정 담아/ 숨죽인 어둠 속으로/ 너풀너풀 걸어와/ 헌화하는 그대

일렁거리는 아픔의 눈물/ 안으로 안으로 삼키며/ 제 한 몸 사르는구려

양 눈 치켜뜬 채/ 그대와 힘겨운 눈싸움 할 때/ 흐르는 눈물 방울 방울들

그대의 희생적 사랑에 대한/ 감동의 진주 이슬 이려니./ 지치고 힘든 피로한 눈에게는 영약이려니./ 깊디 깊은 내면의 세계로 들어가는/ 한줄기 빛과 소금이려니

눈물 닦으며 그대의 헌신과 노고/ 오래 오래 기억하리라

6. 꽃 한 송이에서 우주를 보는,

꽃목걸이 자세 (56)

'말라 아사나(mala asana)'는 꽃목걸이 자세, 화환 자세라 한다. 쪼그려 앉아 발바닥과 발뒤꿈치를 바닥에 붙인다. 두 무릎을 벌리고 두 팔로 무릎을 감아 등 뒤로 돌려 둥근 꽃목걸이처럼 양손을 등 뒤로 돌려서 놓거나 맞잡는다. 장운동을 돕고 아킬레스건과 종아리 근육을 단련시켜 준다.
시연 김이림.

바야흐로 꽃의 계절이다. 눈을 들어 밖을 보면 꽃 사태, 꽃 멀미가 날 지경이다. 문을 나서면 발걸음 딛는 곳마다 눈길 가는 곳마다 꽃물이 배어 나와 온몸으로 스며드는 느낌이다.

꽃은 꽃의 형상을 한 창문인 듯싶다. 꽃을 통해 꽃 너머 혹은 아득한 시간 저편을 보게 되니 말이다.

가뭇없이 사라져간 지난봄의 꽃향기처럼 잊혔다가 올봄에 되살아나는 순수의 순간이 돌연 꽃을 통해 사바세계에 그 그림자를 다시 홀연히 나투는 듯하다.

꽃은 관상 가치가 있어 아름다움과 정서적 위안을 주는 식물의 생식기관이다. 식물학적으로 속씨식물과 겉씨식물 등 종자식물의 생식기관을 꽃이라 한다.

"꽃은 살아 있는 모든 것들에는 순간순간의 절정이다. 하늘과 땅 사이에서 생겨나서 서로 맺어지며 살아가다 마침내는 스러져 가는 모든 생명들의 순간의 가장 순수한 몸짓이다. 나아가 돌 바람 물과 뭇별 등 모든 무생물들의 내밀한 언어이기도 하다. 우리 사람에게 있어 꽃은 내 마음 속 가장 순정한 순간의 표현이다. 꽃은 나와 남 아닌 그 모든 것을 그 간절함의 절정에서 맺어주게 하는 의미이다."(이경철)

꽃은 시를 읊게 하고 노래를 만들고 이야기를 낳았다. 게다가 한 떨기 국화꽃은 봄부터 소쩍새를 또 그렇게 울게 하였다지. 꽃은 어느 누구에게나 친근한 소재로서 인간의 희로애락을 대변해 줌은 물론 생활 속에 작은 환경을 만들어 준다. 더욱이 인간의 편리함에 우선한 산업개발로 환경 파괴가 위험 수위에 이른 현시점에서 꽃 사랑은 곧 자연과 환경의 사랑이라 할 것이다.

'꽃 속을 들여다보면 황홀한 세계 억겁의 고요를 만난다. 그 꽃 속에 들어가 한 천년 자고 싶다'고 읊은 어느 시인의 혜안에 감탄한다. 그래서 '화개견불(花開見佛)', 꽃을 보니 부처를 본다 했던가. 꽃의 아름다움을 보는 마음은 청정한 부처의 마음이라고 말하고 있다.

꽃의 곁에만 있어도 꽃이 눈을 주지 않아도 꽃의 숨결이 전해짐을, 순간 가슴이고 얼굴이고 온통 붉고 푸르고 노랗고 하얀 꽃물이 들어옴을, 그러면서 알지 못하는 에너지가 몸속에서 용솟음치는 느낌을 경험해 본 사람만이 꽃의 진가를 말할 수 있을 것이다.

꽃의 보편적인 상징은 한마디로 아름다움이다. 우리는 아름다운 사물이나 사람을 지칭할 때, 흔히 꽃 화(花)자를 그 말에 붙였다. 아름다운 얼굴을 화안(花顔) 또는 화검(花瞼)이라 한다. 아름답고 화려한 옷을 화의(花衣), 아름다운 족두리를 화관(花冠), 신부가 혼례 때 타는 꽃가마를 화교(花橋)라 하였다. 꽃은 여인의 또 다른 이름이다. 아름다운 여인을 화인(花人), 아름다운 여인의 모습을 화태(花態)라고 했다. 어린 처녀를 꽃봉오리라 하고 여인의 젊음이 가려할 때 '꽃이 시들기 시작한다'고 했다.

꽃은 점점 풍요, 존경과 기원의 매개, 사랑, 미인, 재생, 명예 등 더 높은 미적인 존재로 의미의 확산이 이루어졌다. 그래서 꽃은 마침내 인간 생활에서 떼려야 뗄 수 없는 또 다른 언어가 되었다.

꽃은 영예와 소망의 상징이다. 아름다움에서 출발한 꽃은 영예로움과 고상함, 그리고 으뜸을 표상으로 하고 번영 풍요를 바라는 인간의 소망을 상징하기에 이른다. 경사스럽고 영화로운 일이 있을 때 '웃음꽃이 피었다'라고 하였고, 실패에 좌절하고 있을 때 '언젠가는 그대도 꽃필 때가 있을 거야'라고 격려했다.

또한 꽃은 존경과 경배, 숭배, 친애의 표시로도 쓰여 왔다. 꽃을 바치고 꽃을 선사하는 것은 사람들의 존경이나 외경심에서 자연스럽게 우러난 것이다. 그러므로 꽃은 신을 경배하거나 신에게 소망을 빌 때 바치는 예물이었다.

꽃은 사랑의 정표이다. 사랑은 아름답다. 그래서 꽃의 아름다움은 사랑의 상징으로까지 발전하였다. 신라 성덕왕 때 강릉 태수의 부인 수로에게 한 노인이 철쭉꽃을 꺾어 바치며 헌화가를 읊고 있다. 또 고려 충선왕은 몽고를 다녀올 때 사랑했던 몽고 여인에게 정표로 연꽃을 꺾어 주었다. 구운몽에서는 주인공이 팔선녀에게 던진 꽃 이야기가 나온다.(*이상희의 '꽃으로 보는 한국문화' 참조)

꽃은 우리에게 시간의 소중함을 가르쳐 주는 선생이다. 순간순간의 삶을 아름답고 진지하게 살아야겠다는 각오를 다지는 좋은 메시지를 던지고 있기 때문이다.

수국 축제 등이 있을 때 일상에 쫓겨 미루다 얼마 후에 그 곳에 가 보면 벌써 시들었거나 꽃이나 꽃잎 꽃봉오리들이 이리저리 바닥에 나뒹구는 허망한 모습에 아연해진 경험이 있을 것이다. 그래서 꽃은 언제든 생각나면 바로 그 순간에 찾아가 그 꽃을 보아야 하고, 언제든 만났을 때 제대로 보아야 하는 것이다.

꽃들은 결코 미래를 이야기하지 않는다. 오직 현재의 시간에 충실하여 최선을 다해 꽃을 피우고 맑은 향기를 끌어올릴 뿐이다. 꽃에겐 피는 일도 지는 일도 온몸으로 살아내야 할 그때그때의 소중한 삶의 순간인 것이다.
"오늘의 일을 결코 내일로 미루지 마십시오. 내일은 없는 것입니다. 내일을 믿지 마십시오. 내일은 결코 당신의 시간이 아닙니다. 있다면 지금 이 순간순간이 있을 따름입니다. 부디 이 순간을 열심히 사십시오"라며 꽃들이 우리에게 들려주는 속삭임에 귀를 열어야겠다.

산길이나 동네 골목길을 걷다 보면 발밑에도 우주의 질서를 보여주는 작은 풀꽃 한 포기가, 잠시 발걸음 멈추고 좀 보고 가라고 말해 주고 있음을 간과하면 안 되겠다.

항상 우리 주변에 널려 있는 것이 꽃과 나무들이지만, 우리 마음이 그것들과 마주치는 것에 무심하다면 그 존재는 우리의 생활에서 무의미하다는 말일 테다. "자세히 보아야 예쁘다/ 오래 보아야 사랑스럽다 너도 그렇다."(풀꽃, 나태주)

꽃의 이용은 사용 방법이나 의미에서 다소 차이가 있었지만 인류 역사에서 함께 공존해 온 것으로 알려지고 있다. 특히 꽃은 아주 옛날부터 이 세상에서 가장 아름다운 것으로 선물에 사용되었고, 여러 개의 꽃을 묶은 꽃다발·꽃목걸이 형태로 사용하는 관습도 생겨났다.

그리하여 꽃은 예로부터 이 세상에서 가장 아름다운 선물로 사람과 사람의 마음을 묶어주는 메신저로 사용되어 왔다고 할 수 있다. 현재에도 누구나 기뻐하는 아름다운 선물이지만.

통일 신라 때 설총이 지은 설화(說話) 화왕계(花王戒)가 전해지고 있다. '꽃나라를 다스리는 화왕 모란은 자기를 찾아오는 꽃 중에서 아첨하는 장미를 사랑하다가, 할미꽃 백두옹의 충직한 모습에 갈등을 일으키고 결국 간곡한 충언에 감동하여 정직한 도리(道理)를 숭상하게 된다'는 내용이다. 이는 설총이 신문왕에게 향락을 멀리하고 도덕을 엄격히 지킬 것을 경계한 글이다.

꽃은 그 아름다운 색과 자태 그리고 그윽한 향기로 인하여 사람들의 마음을 즐겁게 할 뿐만 아니라 삶의 정취를 더욱 깊게 해준다. 고려의 문호 이규보는 '아름다운 꽃을 보게 되면 너무 좋아 정신이 몽롱해지네'라고 노래했는가 하면, 매천 황현은 '꽃은 천 번을 보아도 싫증이 나지 않는다'고 했다. 문인 김동리는 '꽃을 보고 그렇게 충격을 받는 것은 거기서 곧 신의 얼굴을 보기 때문이 아닐까'라고 했다.

"1983년 충북 청원의 두루봉 동굴 흥수골에서 발견된 약 4만 년 전에 살았던 4~5세의 어린아이 뼈의 화석이 평평한 돌 위에 누워 있는 상태로 드러났다. 그 주변에 여섯 종류의 식물 꽃가루가 채집되었는데 흥수 아이의 가슴과 주변에서 국화 가루가 확인되었다. 흥수 아이 곁에서 발견된 꽃가루는 먹고사는 생존만이 절대적으로 중요했던 선사시대에도 불구하고 가족들이 죽은 자를 위해 국화 한 아름 따다 꽃향기 가득한 공간에서 애도 의식을 치른 한반도 초기 사례로 볼 수 있다. 인간의 삶과 역사는 꽃과 함께하였던 것이다."(박은경)

꽃을 싫어하는 사람이 어디 있을까? 바라보는 것만으로도 우리의 마음을 행복하게 해주는 것이 꽃이다. 꽃은 모든 인류가 생활하면서 가까이했고 아름다운 것 중 하나였다. 원시 사회에서도 사람들은 꽃이 있는 곳이야말로 정서적으로 풍요를 느꼈기에 언제나 활짝 핀 꽃밭을 그리워했을 것이다. 도가(道家)에서는 무릉도원을 복사꽃이 만발한 곳으로 묘사하고 있다. 그리스 로마 신화에서는 신들이 또 다른 생명을 창조할 때마다 새로운 꽃이 태어난다. 그만큼 꽃은 정신의 창조를 말하는 것인지도 모른다. '꽃이 있기에 신들이 태어나고 그들을 기념하기 위해 꽃들이 피어난다'는 것이다. 얼마나 아름답고도 슬픈 이야기들인가.

필자가 오래전 인도에 갔을 때 오성급 호텔 정문에 서 있는, 장애를 막아주고 번창함과 풍요를 선사한다는 가네쉬 상 앞에 매일 아침 '말라', 꽃목걸이를 걸어두는 모습을 본적이 있다. 첨단 문명과 전통의식이 만나는 시점이다. 호텔 출입구에 도열해 선 종업원들이 투숙객들이 입장 시 일일이 꽃목걸이를 목에 걸어 주는 모습도 신기했다.

길거리에서 구걸('박시시')로 한 푼 두 푼 돈을 모아 그 돈으로 꽃목걸이 꽃다발을 사서 자기가 즐겨 찾는 신 앞에 바치는 가난한 인도인들의 행위를 뭐라고 설명해야 될까? 예로부터 동서고금을 막론하고 꽃은 신을 경배하거나 신에게 소망을 빌 때 바치는 예물이었음을 말해주고 있다.

또한 꽃은 아름다움, 화려함, 번영, 영화로움 등의 긍정적인 의미를 지니고 있어 아름다운 여인이나 좋고 영화로운 일에 곧잘 비유됐다. 과거에 장원급제한 사람의 머리에 꽃은 어사화는 영화로움을 상징하는 것이었다.

꽃 같은 얼굴, 꽃 같은 시절이라는 말도 젊음과 사랑을 표상한다. 그뿐만 아니라 꽃은 국화(國花), 시화(市花), 교화(校花), 사화(社花) 등 한 집단을 상징하기도 한다.

꽃이나 풀 그리고 나무에 우의성(愚意性)을 부여하는 일은 동서양을 막론하고 예로부터 행해진 습관이다. 우리나라에서는 소나무 대나무 매화 난초 국화 등을 상서로운 것이라 생각했다. 중국에선 소나무를 백 가지 나무의 우두머리라 하여 굳은 절조를 나타냈으며, 성서에는 뜰에 핀 백합을 청렴무욕에 비유하고 있다. 불가(佛家) 역시 처처에 연꽃이 등장한다. '염화시중의 미소'도 그중 하나다.

꽃은 정서적으로 메마르기 쉬운 현대 사회에 교육적 가치는 물론 빛깔과 모양, 그윽한 향기 등 우리의 감정에 긍정적 자극을 주며, 공기정화 능력, 정신 치료학적 효과 등 생활 속에서 다양한 모습으로 유익을 선사하고 있다. 최근에는 실내 원에 또는 녹지 공간 등에 꽃을 많이 심어 인간의 고독감과 산업사회의 긴장감을 해소시키는 데 일조하고 있다.

어떤 꽃은 아지랑이 피어오르는 봄날에, 어떤 꽃은 소나기 내리는 무더운 여름날에 어떤 꽃은 산들바람 불어오는 가을날에 그리고 어떤 꽃은 함박눈 펄펄 날리는 추운 겨울에 핀다. 어디 그뿐이랴. 정열적인 붉은 꽃, 온화한 노란 꽃, 순결한 흰 꽃, 또 서러움을 머금은 듯한 자줏빛 꽃 등은 저마다의 빛깔로 각기 제 모습을 자랑한다.

인간의 모습이 백양백색이듯이 꽃 역시 그렇다. '천상천하 유아독존(天上天下 唯我獨尊)'은 인간에게만이 아니라 꽃에도 어울리는 말일 듯하다.

법정스님의 토굴 당호가 '수류화개실'이다. 이 수류화개(水流花開)란 말은 초의선사가 자주 애용했다고 하는데, 송나라 때 황산곡(黃山谷)의 시에 나오는 구절이다.

"사람은 어떤 묵은 데 갇혀 있으면 안 된다. 꽃처럼 새롭게 피어날 수 있어야 한다. 살아 있는 꽃이라면 어제 핀 꽃과 오늘 핀 꽃은 다르다. 새로운 향기와 새로운 빛을 발산하기 때문이다. 일단 어딘가에 그것이 전부인 것처럼 안주하면 그 웅덩이에 갇히고 만다. 그러면 마치 고여 있는 물처럼 썩기 마련이다."(법정, '살아 있는 것은 다 행복하라'에서)

'만리장천에 운기우래하니, 공산무인한데 수류화개라'(萬里長天 雲起雨來, 空山無人 水流花開), '구만리 푸른 하늘에 구름 일고 비가 내리누나, 텅 빈 산에 사람 없어도 물은 흐르고 꽃은 피어난다.'

어느덧 실체적 존재에 이르면 내면에 생명의 꽃이 피어나는 신비함처럼, 우리가 서 있는 바로 이 자리가 물이 흐르고 꽃이 핀다는 그 '수류화개실'이 아닐까 생각된다.

'말라 아사나(mala asana)'를 '꽃목걸이 자세' '화환 자세'라 한다. '말라(mala)'는 화환(花環)이라는 뜻인데 두 가지의 의미로 해석된다. 꽃 장식 '말라'는 봉헌의 의미로 제단이나 성자상 앞에 놓거나 존경 혹은 환영의 의미로 영적지도자에게 바쳐진다. 묵주 '말라'는 명상이나 기도에 사용한다. 이런 두 가지 뜻의 '말라'는 모두 원형(圓形)의 형태다.

두 발을 모으고 쪼그려 앉아 발바닥과 발뒤꿈치는 바닥에붙인다. 두 무릎을 벌리고 두 팔로 무릎을 감아 등 뒤로돌려 마치 둥근 꽃목걸이처럼 양손을 등 뒤로 돌려서 놓거나 서로 맞잡는다. 또는 양 발목을 잡을 수도 있다. 그리고는 앞쪽으로 몸통을 숙이면서 머리를 바닥에 닿게 한다.

이 자세는 복부 기관을 자극함으로써 장운동을 돕고 등 부분을 편안하게 해주며 아킬레스건과 종아리 근육을 단련시켜 주는 효과가 있다.

"화환 자세는 두 팔이 마치 화환처럼 몸을 감싸는 데서 그이름이 나왔다."(B.K.S 아헹가)

꽃은 빛깔이며 향기며 모습이 모두 황홀하다. 아울러 그런 생명의 신비에 몸을 떨지 않을 수 없다. '꽃 한 송이에서 우주를 본다'는 것은 과장이 아니다. 우리들 사랑이 우주에 닿아야만 완성된다고 믿는 까닭이다.

사람이 꽃보다 아름답다는 말은 참으로 아름다운 말이다. 사람이 꽃보다 아름다울 수 있다는 것은 인간의 내면적인 아름다움이 있기 때문이다. 아무리 가꾸고 꾸민다 해도 사람의 외형 자체가 꽃보다 아름다울 수는 없다. 사람이 꽃과 같이 아름다울 때는 꽃의 본질을 닮을 때이다.

꽃은 사랑이다. 미래를 위한 실존적 사랑이다. 따라서 사람을 가장 아름답게 만드는 것은 사랑하는 마음이라 할 수 있다.

우리들 삶이 사랑의 꽃향기 가득 품어 마음의 향기로 빛나는 시간이 더 많아졌으면 좋겠다. 제 아무리 화려하고 아름다운 꽃도 지는 것을 아쉬워하지 않는다. 물러갈 때가 되면 스스로 꽃잎을 떨어뜨리고 다음에 필 꽃에 자리를 양보한다.

자신에게 주어진 시간과 공간을 눈부신 색깔과 맑은 향기로 가득 채우다가도 때가 되면 일말의 망설임도 없이 지는 꽃을 본다. 그 단호함에 때론 가슴이 서늘해지기까지 한다. 꽃은 자연의 섭리를 결코 거스르지 않는다.

가야 할 때를 알고 실천하는 그들의 뒷모습이 부럽기까지 하다. 집착과 욕심에서 벗어나지 못해 끝까지 추한 그림자를 떨구기도 하는 인간들에게 비하면 얼마나 깔끔한 모습인가.

이는 곧 삶과 죽음에 대해서도 한 번 더 생각하게 한다. 어떻게 살아야 되고, 어떻게 죽음을 맞이하느냐에 대한 명제까지 안겨준다.

때로는 이러한 꽃들을 우리가 사는 동안 몇 번이나 볼 수 있을까 생각하면 더 애틋하고 더 예쁘다. 순간 피었다가 져 버리는 꽃은 꼭 오늘 하루를 닮았다. 오늘이 내 생애 단 하루인지도 모르고, 금방 져 버릴 줄도 모르고 종종 아무렇게나 흘려보내곤 한다. 무럭무럭 자라서 애쓰며 피어날 자신이 얼마나 예쁘고 귀한 존재인지도 모르고, 사는 게 바쁘다고 힘들다고 바닥만 보고 걷다가 그럭저럭 그냥 하루를 지나쳐 버리기도 한다.

그러나 오늘만큼은 속상한 것 힘든 것 잠시 내려놓고 한 번쯤 온 천지 사방에 흐드러지게 피어있는 붉은 장미꽃 송이에 눈길을 맞추고, 짙은 향기도 흠흠 맡아보면 좋겠다.

"아가, 꽃 봐라. 속상한 거는 생각노 하시 말고 너는 이쁜 것만 봐라." 이은희 작가의 단편에서 할머니가 아가에게 들려주는 대목이다. 이참에 자신에게도 토닥토닥 이 말을 해 주고 싶다.

"그대도 힘들고 아픈 것만 보지 말고 이제 이쁜 것만 보라"고. "꽃길만 걸어라"는 말보다 사뭇 가슴이 따뜻해지는 듯하지 않은가.

'말라 아사나'를 통해 꽃 한 송이에서 우주를 보는 심성을 갖춘, 꽃보다 아름다운 사람들이 가득한 세상을 꿈꾸어 본다. "아빠하고 나하고 만든 꽃밭에/ 채송화도 봉숭아도 한창입니다"의 '꽃밭에서' 동요도 흥얼거려 보아도 좋고, "당신은 한 송이 꽃 속에 사랑으로 가득 찬 세상이 있다는 것도 모를 거예요"라는 노랫말이 담긴 이탈리아 윌마 고이크의 '꽃의 속삭임(In un flore)' 칸초네 곡이라도 감상하면서 이 자세를 취해 보면 더 좋을 듯하다.

[꽃에 대한 속삭임 / 최진태]

천공에 꽃비 흩날리는 날/ 문득 바람처럼 스쳐 지냈던/ 한 송이 꽃에게 다가간다

그대 눈높이로 자세 낮춘 후/ 그대 눈동자에 눈 맞추고/ 그대 속으로 걸어 들어가/ 그대 가장 깊은 곳에 안착한다

숨이 멎을 것 같은/ 나의 심장의 고동 소리 들리는가/ 더 이상 무엇을 바라리오/ 그대 눈 속에 무지개 되어 빛나는/ 눈물방울 하나면 족하거늘
지나온 생의 구비마다/ 그대는 묵묵히 피고 지고 있었는데/ 돌아보면 어느 순간에나/ 그대는 그 자리를 지켰건만/ 참으로 무심했구려

지나온 흔적 흔적이/ 그대 아닌 적 없었는데/ 제대로 미소 한번 못주었구려/ 하는 일 이리도 어리석었도다

그대에게 제대로 눈길만 주었어도/ 그대 손깃만 온전히 스쳤어도/ 그대 곁만 살갑게 지켰어도/ 그대 숨결을 느꼈을텐데/ 그대 영혼의 향기를 맡았을텐데

향기롭다니 아름답다니/ 달콤하다니 부드럽다니/ 달달하다니 아릿하다니/ 영롱하다니 경외롭다니/ 눈부시다니 떨려온다니/ 벅차온다니 황홀하다니/ 아득하다니 탐스럽다니/ 새촘하다니 상큼하

다니

이제와 뒤늦게 아무리 외쳐봐도/ 미치지 못하는/ 그대에 대한 노래/ 그대에 대한 찬송/ 다하지 못해/ 그 어떤 것으로도 흡족치 못함은/ 아마 그대 안에는/ 보이지 않는 신이 존재하는가 보우

때늦은 후회 속 비로소 오늘에야/ 그대는 나의 영혼에/ 꽃물로 번져와 안기더니/ 한 송이 꽃봉오리로 태어나/ 드디어 화사한 꽃으로 만개했구려

그 꽃이 내가 되고/ 내가 곧 그 꽃이 되는/ 장엄한 세계/ 그대 가슴 속에서 태어나/ 그대 가슴 속에서 마치고 싶은/ 애틋한 속삭임이/ 그대 들리시는가

7. 토닥토닥 다독이며 자신을 품어주는,
아기 자세(57)

'아기 자세'는 엄마의 배 속에서 고요히 휴식하는 모습으로, 육체적 이완은 물론 정신적 이완 효과가 있다. 꿇어앉아 상체를 숙이면서 양손을 엉덩이 뒤편으로 가져가서 양 손바닥이 천장을 향하게 한 후 바닥에 닿게 하고 고개를 돌려 휴식한다.   시연 김이림.

고대 경전에 의하면 아기들은 어머니의 배 속에 있는 동안 거의 108가지 요가 동작을 행한다고 한다.

"아기들은 요가 수행자로 태어난다. 아기들은 발달 단계마다 요가의 대가들이 부러워할 만큼 자연스럽게 몸을 비틀거나 구부리며 다양한 요가 동작들을 행한다. 네발로 기는 방법을 배울 때, 아기들은 코브라 자세로 몸통을 아래로 굽히며 머리를 위로 치켜올린다. 그리고 아기들은 걷기 직전에 '아래로 보는 개 자세'로 몇 주 동안 이 방 저 방을 가로질러 다닌다. 심지어 새근새근 잠자는 동안에도 아기들은 무의식적으로 다리를 구부리는 이른바 '아기 자세'를 취한다. 이런 자세들은 아기들의 몸을 골고루 발달시켜주고 아기들이 자라는 데 필요한 근육들을 강화시켜 준다. 요가는 아기들이 두 발로 설 수 있는 존재가 되어가는 여정에서 자연스럽게 배어 나오는 타고난 운동이다."(수지 아네트)

그러므로 자라나는 아기들에게 유아 요가는 잠재된 빛을 일깨우는 또 하나의 방법이 될 것이다. 우리 어른들이 할 일은 그들이 선천적으로 알고 있는 것을 상기시켜 주는 것이고 그들이 이 내적 지혜를 계발하도록 돕는 것이라 할 것이다.

"요가는 원천 즉 모든 창조의 원천과의 결합이다. 아기들의 몸과 의식은 타고난 유연성을 지니고 있기 때문에, 힘들이지 않고도 그 원천적인 순수성과 정신에 연결된다."(디펙 초프라)

'아기 자세'는 '발라 아사나(bala asana)'라고 하며 '기도 자세' 또는 '경배 자세', '휴식 자세'라고도 한다. '아기 자세'는 세 가지 방법으로 행할 수 있다.

첫째는 꿇어앉은 채 앞으로 상체를 숙이면서 양팔을 양쪽 바닥에 쭉 편 후, 양 팔꿈치를 앞으로 곧게 펴며 이마를 바닥에 붙이는 방법이다.

두 번째는 양손을 엉덩이 뒤편으로 가져가서 양 손바닥이 천장을 향하게 한 후, 바닥에 닿게 하고 고개를 좌나 우측으로 돌린 채 휴식한다. 이때 가슴이 양 허벅지에 붙을 정도로 숙인 후 몸에 힘을 빼고 완전히 이완시킨다.

마지막으로 양 주먹을 가볍게 쥐고 아래위로 포갠 채, 역시 상체를 숙이며 포갠 손 위에 이마를 올려놓고 휴식하는 방법이 있다.

이러한 '아기 자세'는 의식을 편안하게 하고 등 근육을 이완시켜 준다. 특히 뒤쪽으로 몸을 젖히는 후굴 동작 후에 행하는 상응(相應) 자세로 안성맞춤이다.

태아가 엄마의 배 속에서 휴식하는 자세 같기도 한 이 자세는 한편으로는 내가 나를 안아주는 프리허그(free hug) 자세이기도 하다. 힘들고 고단한 인생 여정에서 "짐 진 자 다 내게로 오라"는 메시지와 더불어 자신을 토닥토닥 위로해 주며 포옹해 주는 심리적 효과가 있다.

스스로가 자신이 이만큼 살아온 것만 해도 장하고 기특하다. '이만하면 그래도 꽤 괜찮은 나 아닌가?'라는 얘기도 자신에게 들려주며 내가 나를 다독거려 주는 듯한 느낌도 들게 한다.

또한 엄마의 배 속에서 고요히 휴식하는 형상으로 육체적 이완은 물론 정신적 이완도 동시에 전해 올 것이다. 그래서 심신의 긴장감을 해소시켜 주고 내부의 안식처를 찾고 안정감을 느낄 수 있도록 도와준다. 푸근한 엄마의 품속 둥지 안에 안겨 있는 느낌이라 해도 좋을 듯하다.

그러다 보면 어느 순간에는 울컥 가슴속에서 치올라 오는 벅찬 환희의 감정도 느낄 것이며, 때로는 원인 모를 서러움과 슬픔과 억울함과 분노와 아쉬움 등 복잡한 여러 감정까지 한꺼번에 치솟아 올라와서 나도 모르게 주르르 눈물마저 흘리게도 하는 사세이다.

'형식과 형상이 내용을 만든다' 했다. 특히 집중하여 나의 몸과 영혼을 들여다보고 있노라면 이 아사나가 주는 신비로운 여러 메시지를 들을 수 있을 것이다.

"우리는 모든 요가 자세 속에서 휴식할 수 있어야 한다."
B.K.S.아헹가의 말이다.

'아기 자세' 또한 요가 수련 도중에 쉬어가는 일종의 휴식 자세이다. 편안하게 몸을 내맡기고 스스로를 주의 깊게 관찰해 보는 것도 좋을 듯하다.

인도의 영적 지도자 라마 마하리시는 "나의 구루(스승)께서 말씀하셨다. 지금 내 안에 있는 내면의 아기가 너의 참 자

아이다. 참된 나는 아직도 순수 속에 머물고 있나니 이런 나 혹은 저런 나로 더럽혀지기 이전에 그 순수한 존재의 상태로 돌아가라"고 강조한다.

"할아버지, 풀잎이 땀을 흘리네. 더워서 그래?" "응, 아직 더운가 봐."
풀잎에 맺힌 이슬방울을 보고 5세 아이와 할아버지가 나눈 대화이다. 이런 마음이 하늘의 마음이 아니겠는가? 이보다 더 맑고 순수하고 깨끗한 영혼이 또 있을까? 아이는 천사의 시를 읊조리고 있었던 것이다.

아기들은 천진난만 순진무구하다. 힌두사상에서 현자들은 이러한 아기들의 특징을 지닌다. 모든 집착이나 미움으로부터 자유로우며, 의도와 계산 없이 행동하고 자신의 욕망을 다스릴 줄 안다. 요가 수행자가 이러한 의미를 떠올리며 '아기 자세'를 취한다면 더욱더 평온함을 얻을 수 있을 것이다. 오늘 '아기 자세', '발라 아사나(bala asana)'를 통하여 우리 안에 어린아이를 일깨워보자.

"나마스테 Namaste!"(내 안에 있는 신이 그대 안에 있는 신에게 경배드립니다.)

8. 백마 타고 오는 초인을 떠올리는,

말(馬) 자세(58)

'천마(天馬) 자세' 바타야나 아사나는 먼저 두 팔을 꼬아 하늘을 향하게 하고, 다리 한쪽을 발바닥이 위로 향하도록 한 상태에서 반대편 다리의 허벅지에 올린다. 엉덩이를 들고 허리는 가능한 한 곧추세운다. 발목과 무릎관절을 풀어주는 데 제격이다.　　　　　　시연 김덕선.

요가(yoga)의 어원은 인도 고대 언어인 산스크리트에서의 결합, 집중, 합일, 묶음을 뜻하는 유즈(yuj)로써 '말을 마차에 맨다'는 의미를 지니고 있다. 하늘을 나는 천마(天馬)는 지고한 곳으로 향하려는 정신을 의미하고, 움직임을 준비한 정적인 도구 마차(馬車)는 육체를 암시한다.

또한 요가는 몸과 마음이 하나 됨을 스스로 경험하는 비이원적 결합이라는 상징적인 의미를 통하여 인간이 바르게 지향하는 삶의 길을 제시하고 있다.

말은 박력과 생동감으로 상징되는 동물이다. 말은 뛰어난 순발력과 활기가 넘칠 뿐 아니라 탄탄한 체형이다. 말은 주인을 알아보고 지혜롭게 주인의 명령에 복종하고 교감하는 특징이 있다. 말은 날래고 용감하고 씩씩하고 힘차다. 그러나 용맹스럽되 거만하지 않고 오히려 조심스럽다. 자유분방하며 야성적이고 무리 지어 산다.

말은 인류에게 충견이란 용어처럼, 어린이나 노인들에겐 친구가 되며 눈이 먼 사람들을 인도하는 개에 뒤지지 않는 존재감을 지닌다. 늠름함과 위엄으로 품위마저 갖춰 기대고 싶은 든든함 등의 친근미로 다가오는 동물이다.

예전엔 운송 및 교통수단, 전쟁에서의 기동력 그리고 수렵 등에 활용되었다. 호쾌한 기상과 깨끗하고 준수한 외모, 주인을 알아보는 인지력 등으로 동서양을 막론하고 인류로부터 오랜 세월 변함없는 사랑을 받아온 동물이다.

말은 천마(天馬), 신마(神馬), 기린마 등의 이름에서 알 수 있듯이 예로부터 성스러운 지위를 획득했다. 또 좀처럼 눕지 않고 서서 자는 이른바 장립불와(長立不臥)의 수행동물로 지칭되고 있다.

말에 얽힌 일화며 고사에 설화와 전설은 나라별 민족별로

107

무수히 많다. 우리나라도 예외는 아니다. 말과 인류와의 각별한 친밀감은 말을 소재로 한 무수한 시문(詩文) 등 문학 외에 민족을 초월해 선사시대 미술품부터 오늘날까지 전해진 가시적인 조형미술을 통해 엿볼 수 있다. 오늘날엔 승마와 경마 같은 스포츠로도 각광을 받고 있다.

천마(天馬)사상의 근원을 거슬러 올라가면 고대 유라시아 초원을 누비던 인도, 이란까지 소급된다. 고대 인도신화에 등장하는 천신(天神) 인드라는 데바스바(devasva)라는 말을 타고 다닌다. 범어로 하늘을 뜻하는 데바(deva)와 말을 뜻하는 아스바(asva)의 합성어로 이는 곧 천마(天馬)에 해당된다.

리그베다에서는 '말의 영혼이 새처럼 날아올랐다'고 노래한다. 힌두교에 의하면 반신반마의 간다르바는 새 생명의 탄생에 결정적인 역할을 맡는다. 불교에서는 삶과 죽음의 중간에 있는 일종의 연결고리라고 한다. 우파니샤드에서는 말을 '우주의 상징(Briharanyaka)'이라 했다. 우주의 균형을 잡고 시간을 초월한 비슈누 신이 백마를 타고 나오면 황금의 새 시대가 열린다고 한다.

말(馬) 하면 희디흰 백마를 타고 붉은 망토를 휘날리는 모습으로 경사진 산을 향해 돌진하려는 강한 의지가 돋보이는 얼굴로, 우리들 뇌리에 각인된 나폴레옹 그림이 먼저 떠오른다.

삼국지에 나오는 관우의 적토마(赤兎馬) 역시 기억에 깊이 새겨진 이름이다. 시대의 인물인 동탁, 여포, 조조를 거쳐 관우에게 왔다. 관우가 손권의 계략으로 타계하자 이 적토마는 주인을 따라 곡기를 끊고 죽는다.

무엇보다도 1973년 경주 고분에서 발굴된 장니(障泥)에 그려진 천마도(天馬圖)가 있다. 자작나무 껍질에 그려진 이 유물이 출토되어 천마총(天馬塚)이란 명칭을 얻기도 했다. 춘향전과 더불어 암행어사 이몽룡의 마패도 연상되고 어사 박문수의 마패도 떠오른다.

초한전쟁 때 막바지에 초나라 왕 항우의 마지막을 지킨 건 오추마였다. 해하전투에서 사면초가에 몰린 항우는 '오추마가 달리지 않으니 어찌한단 말인가'라고 탄식했다. 오추마는 검은 바탕에 흰 털이 많아 붙여진 이름이다.

요동과 함경도 지방에서 활동하며 여진족과 가까웠던 조선 태조 이성계는 특히 말을 아꼈다. 평생 같이 다닌 말을 '팔준마'라고 불렀다. 세종 때 안견이 이 말들을 한 마리씩 그린 팔준도첩이 전할 정도다.

말은 하늘을 뜻하는 원리에 속하며, 하늘은 태양이고 태양은 남성을 상징하며 태양신화를 많이 발전시켰는데, 여기에 천마사상이 형성되었다. 특히 백마를 사용한 것은 백색이 광명을 나타내어 신성(神性), 서조(瑞兆), 위대(偉大) 등의 특이한 연관성을 지니고 있기 때문이다. 이러한 백색의 상징성에 따라 신성하고 축복의 의미를 지닌 혼례에서도 백마를 사용하게 된 것이다.

현대에도 백마의 관념이 살아 있어, 민족시인 이육사의 시 '광야(廣野)'에 보인다.

"다시 천고(千古)의 뒤에/백마 타고 오는 초인(超人)이 있어/이 광야에서 목놓아 부르게 하리라."
"말은 일단 달리기 시작하면 멈출 줄을 모른다. 날아간 화살처럼 곧바로 앞만 보고 질주하는 성격 때문에 사냥터와 전쟁터에서는 어떤 짐승도 말을 앞서는 것은 없다. 그래서 말은 한 나라의 성쇠를 가르고, 문명의 얼굴을 바꿔놓는 역할을 한다."(이어령)

영혼을 운반할 수 있는 동물로는 각 공간을 서로 넘나들 수 있는 능력이 있는 존재여야만 한다. 그래서 땅과 하늘을 연결하는 것으로 말이 나타난다. 신라·가야에는 말 그림, 말 모양의 고분 출토 유물이 발견되고, 고구려 고분벽화에도 각종 말 그림이 등장한다. 여기서 말은 이승과 저승을 잇는 영매자로서 무덤 주인의 영혼이 타고 저세상으로 가는 동물로 이해된다. 그 주인의 심부름꾼, 하인들까지 태우고 저승으로 갔다. 진시황의 병마총(兵馬塚)이 그 좋은 예이다.

조선을 창시한 이태조도 서울 동대문 밖에서 마조단(馬祖壇)을 설치하고, 중춘(仲春)에 길일을 택하여 제사를 지냈고, 고구려 시조 주몽의 말이 땅속을 통하여 조천석(朝天石)으로 나아가 승천한 것도 이미 알려진 이야기다. 이 역시 말을 신성시한 징표다.

명마(名馬)는 눈 밝은 사람에게만 보인다. 중국 춘추 전국 시대에 말 감별사 백락(伯樂)은 남다른 안목을 가졌다. 어느 날 말 장사가 아무도 자기 말을 사지 않는다고 탄식했다. 가만 보니 의외로 준마였다. 그는 아깝다는 표정으로 감탄사를 내뱉었다. 그 모습을 본 사람들이 앞다퉈 몰려들었다. 말은 열 배 넘는 값에 팔렸다. 여기에서 '백락일고(伯樂一顧)'라는 고사가 나왔다. 예나 지금이나 명마는 많지만 알아보는 이가 많지 않다. 당나라 문인 한유가 천리마는 늘 있으나 백락은 드물다고 했듯이.

만날 우(遇) 자에는 상대를 대접한다는 뜻도 있다. 훌륭한 인물을 예로써 대하는 것이 곧 예우(禮遇)이다.
다만 명마의 반열에 오른 인재라도 언제든 소금 수레 끄는 말로 전락할 수 있다는 점을 잊지 말아야겠다. 날렵한 천리마도 놀고먹으면서 단련을 게을리하면 살만 뒤룩뒤룩 찌고 쓸모가 없어진다는 사실을 명심해야겠다.

예전에 총기 있고 지혜롭다고 생각이 들던 주위 지인들을 오랜만에 만나 보면 예상외로 무딘 사고와 아둔한 행동거지에 실망할 때가 있다. 정반대 경우도 있지만. 본인 역시 상대에게 그렇게 느껴지지나 않았는지 옷깃을 여미게 된다. 중국 탕왕의 '일일신우일신(日日新又日新)'이 예사말이 아님을 되새기게 된다.

남의 말을 귀담아듣지 않을 때 중국에서는 '마이동풍(馬耳東風)'이라 하고, 우리나라에서는 '쇠귀에 경 읽기(우이독경·牛耳讀經)'이라 하며, 일본에서는 '말 귀에 염불'이란 표현을 쓴다.

아이들 놀이에 말타기 놀이도 있다. 가위바위보로 가장 먼저 진 사람이 말이 되고, 다음으로 진 사람이 마부가 된다.

제주도의 조랑말은 일명 과하마(果下馬)라고 한다. 글자 그대로 과일나무 밑으로 다닐 수 있다는 말이다. 1890년대 그 조랑말을 타고 금강산을 유람한 여류 탐험가가 있었다. 영국인 '이사벨라 버드 비숍'이었다.
"조선 말은 체구가 왜소하고 주인이 아니면 발로 차고 거칠게 굴어 사람을 가린다. 그 작은 체구에 유럽식 안장을 얹으면 마치 아이에게 어른 옷이라도 입혀 놓은 것처럼 복대가 늘어 처진다. 한데 소인국 같은 말 같으면서도 그 운동력과 지구력에는 감탄하지 않을 수 없다. 먹이라 해야 기껏 짚단 몇 주먹인데도 2백 파운드가 넘는 무거운 짐을 싣고 조금도 거침없이 매일 30마일쯤을 거뜬히 걸어갔다"고 극찬했다.

견훤과 연관된 서울 관악구와 경기 구리시를 잇는 높이 295.7m의 아차산(阿且山) 전설도 흥미롭다. 견훤이 명마(名馬)와 더불어 활을 쏜 후 누가 먼저 목적지에 도착하느냐의 시합을 한 후 명마를 타고 목적지에 도착해보니 화살의 흔적이 보이지 않자, 말이 화살보다 늦게 도착했다고 여기고 약속대로 말의 목을 쳐버린다. 그러자 바로 그때 하늘에서 '쏴아' 하는 소리와 함께 화살이 날아와 쓰러진 말 앞에 꽂히는 게 아닌가. 견훤이 '아차!' 하며 가슴을 치고는 자신의 성급함을 한없이 후회하며 눈물을 흘렸다는 일화가 전해지고 있다. 그곳은 고구려 온달 장군의 전사지로도 알려져 있다.

김유신이 술 취해 집에 돌아오는데 말은 습관적으로 전날 다니던 길을 따라 술집 여인 천관의 집에 이르렀고, 김유신이 다시 가지 않기로 맹세를 한 덕분에 정신이 번쩍 들어, 애매한 애마의 목을 베고 돌아왔다는 설화에서도 말의 총명함을 간접적으로 표현하고 있다. 그 뒤 그 자리에 절을 지어 절 이름을 천관사라 하였다고 한다.

그리스·로마 신화에서 태양의 신이라 불리는 아폴로가 있다. 태양신 아폴로는 새벽마다 네 마리의 말이 끄는 수레를 타고, 동쪽에 있는 궁전을 떠나 하늘로 여행을 한다. 하루의 여행을 마치면 서쪽 바다로 들어간다. 아폴로는 여기에서 황금으로 만든 커다란 잔을 타고 동쪽에 있는 성으로 들어갔다가 다음 날 새벽이 되면 다시 말을 몰고 하늘로 올라간다. 이처럼 말은 언제나 태양과 함께 행동하는 영광을 누리고 있는 동물이다.

말은 20세기까지도 전쟁에 동원되었다. 스티븐 스필버그 감독이 만든 워호스(War Horse)는 1차 세계대전 때 군마로 징집된 말 조이와 소년 마주의 우정을 그린 감동적인 영화다. 조이는 총알이 오면 고개를 숙이고 철조망을 잘 뛰어넘는 영리한 말이었다.

한국에는 1952년 미군 소속으로 전장에 투입된 군마로 활동했던 아침해가 있다. 아침해는 원래 당시 신설동 경마장을 달리던 경주마였다. 마주였던 소년 김흑문은 누이가 지뢰를 밟아 장애인이 되자 이 말을 250달러를 받고 미군에게 팔았다. 아침해는 당차게 탄약과 보급품을 날랐고, 단독 작전을 50회 이상 수행했다. 미군들은 아침해를 레크리스 (reckless·무모한)라고 불렀다. 아침해는 1960년 하사 계급 으로 미국에서 은퇴했고 훈장도 받았다.

칭기즈칸이 세운 원나라는 티베트 불교에서 분노하는 얼굴 의 마두관음(馬頭觀音)을 받아들인다. 광활한 초원에서 어 릴 때부터 말을 기르고 부리는 데 탁월한 전통을 가진 몽 골 유목민에게 마두관음은 지금도 제일 인기 있는 수호신 이다. 마두관음 탱화를 보면 몸통 위에 돌출한 세 얼굴이 말이라고 한다. 몽골인은 말 울음소리에서 힘을 얻는다. 벼 락같은 말 울음소리가 사방의 악귀를 쫓아낸다고 믿어왔다. 말과 관련된 등록상표는 전 영역에서 고르게 나타나고 있 다. 그중 차(車)에 관한 것을 소개하자면 먼저 우리나라 근 대화 시대의 기념비적인 자동차로 기억되는 포니(pony) 자 동차는 수입 모델을 조립하는 데 그쳤던 국내 초기 자동차 산업의 순수 제작된 국산 자동차로서, 꿈을 현실화한 자동 차다. 포니는 조랑말을 뜻한다.

갤로퍼는 1991년 개발되어 판매되어온 현대자동차의 다목 적 4륜 구동차이다 갤로퍼는 질주하는 말이라는 의미를 담 고 있다. 1999년 출시된 현대자동차의 대형 세단 에쿠스 (Equus)는 라틴어로 개선장군의 말과 천마란 뜻을 가지고 있다.

외제차로 방패 모양의 정 가운데에 페라리 엠블럼과 비슷한 말 그림이 그려진 다소 복잡해 보이는 포르쉐도 있다.

유니콘을 트레이드 마크로 쓰고 있는 야구단도 있었다. 유니콘은 말의 체구에 이마의 한 개의 뿔이 나 있는 서양의 전설적인 동물이다.

말은 차(車) 이외에도 고급 브랜드의 이미지에 차용되고 있다. 그중 대표적인 것이 1980년대 크게 유행했던 의류 브랜드 조다쉬일 것이나. 특히 조다쉬 청바지가 유명세를 탔다. 시장에서 파는 청바지보다 족히 몇 배는 비쌌던 이 조다쉬는 멋과 부의 상징이었던 적이 있다.

마차는 말이 끄는 수레로 사람이나 짐을 나르는 데 사용된다. 왜건, 카트, 코치, 캐리지, 역마차, 포장마차 등이 있다. 또 바퀴 수에 따라 2륜 마차, 4륜 마차 등으로 나뉘며 마차를 끄는 말의 수에 따라 쌍두마차, 4두 마차로 나눈다.

영국 왕실에서 전통적으로 1762년에 만든 '아이리시 스테이트 코치'라는 황금마차를 아직도 현역으로 쓰고 있다. 대관식 같은 아주 큰 행사에만 쓰이는데, 승차감이 떨어져서 요즘은 거의 전시용으로 쓰고 있다고 한다.

영화 아카데미 시상식에서 역대 최다인 11개 부분을 석권한 전설적인 영화, 벤허를 보면 아주 인상적인 전차경주 장면이 나온다. 경쟁자 메살라는 말들을 채찍으로 후려치는데 반해 벤허는 채찍 없이 경주에서 승리한다. 게다가 벤허는 경기 전날 밤 네 마리의 말을 어루만지면서 용기를 북돋아 준다. 채찍 없이 동물의 마음을 움직이는 벤허에서 참된 리더십을 읽는다.

벤허의 4마리 말은 모두 하얀색의 멋진 말들이었고, 각자 모두 이름을 가지고 있었다. 벤허는 전날 말들의 이름을 한 필씩 호명하면서 쓰다듬어 주고, 결전을 앞둔 말들에게 전차경주의 전반적인 전략을 알려주면서 자신감을 불어넣어 주었고, 격려를 아끼지 않았다. 벤허는 채찍 대신 말고삐로 말들과 교감 소통하면서 승부를 걸었다. 말들에게 동기를 부여해주고 지속적으로 격려하는 벤허의 모습이 강한 인상으로 남아 있다.

말을 학교의 상징으로 하는 국내 대학도 많다. 그중 필자가 경영학 박사 학위를 받은 광운대학교의 상징 역시 '비마(飛馬)상'이다. 하늘을 날아오를 듯 앞발을 하늘로 뻗은 자세가 매우 역동적이다. 엄마는 메두사, 아빠는 포세이돈이라고 알려진 신마(神馬)로 숭배되었던 날개 달린 백마 페가수스와 흡사하다.

부산 영도는 예로부터 말을 사육했던 곳이다. 이곳에서 사

117

육된 명마(名馬)가 하도 빠르게 달려서 그 그림자조차 볼 수 없다는 뜻으로 섬의 이름이 끊을 절(絶) 그림자 영(影), 절영도(絶影島)였는데, 땅 이름에서 두 글자를 선호하는 한국의 문화 유형, 단순화를 지향하는 지명 제정 동향이 절영도에서 영도로 바꾸어 놓았다고 한다.

영도다리가 놓이기 이전에는 말 사육장으로 이용된 절영의 섬으로 알려졌고, 높고 높은 금정산 줄기가 바다로 차단된 이곳에 이르러 끊긴 데서 절영도라 했다는 설도 있다.

마두금(馬頭琴) 악기는 두 개의 현(絃)을 가진 몽골의 민속 현악기다. 머리 부분에 말머리 장식이 있다. 우리나라 전통 국악기 중의 하나인 해금과 유사하다.

몽골의 전설에 따르면 한 소년의 꿈에 소년이 키우다 죽은 말이 나타나 자신의 몸으로 악기를 만드는 법을 가르쳐 주었고, 그 소년이 말의 뼈로 목을 만들고, 말총(말의 갈기나 꼬리의 털)으로는 현(絃)을, 가죽으로는 울림통을 만들며 말머리 조각을 장식해 넣었다고 전해진다. 이 악기를 통해 초원지대에서 몽골인들이 말과 밀접한 관계를 맺으면서 살아왔다는 사실을 알 수 있다.

낙타의 모성애를 자극하는 소리로도 이용되고 있다는 애절한 마두금 연주 소리에 낙타가 눈물을 흘리는 영상을 보고 감격했던 기억이 난다. 오늘은 마두금 대신 구석에 던져두었던 해금의 활대라도 한번 잡고서, '수연장지곡(壽延長之曲)'이라도 흉내 내봐야겠다.

천마(天馬) 자세, 말 자세, 바타야나 아사나(Vatayana Asana)는 먼저 두 팔을 서로 꼬아 하늘을 향하게 하고, 다리 한쪽을 발바닥이 위로 향하도록 한 상태에서 반대편 다리의 허벅지에 올리면 된다. 이때 엉덩이를 들고 허리는 가능한 한 곧추세운다.

다리 근육과 무릎 관절을 강화시키고 신장 기능을 자극해 이뇨작용을 순조롭게 도와준다. 발목과 무릎관절을 풀어주는 데 제격이다. 성적 욕망을 제어하는 브라마차리아 수행 자세의 하나로 알려져 있다.

올여름에 청마(靑馬)나 천마(天馬), 백마(白馬)를 타고 올 귀인(貴人)을 기다린다면, 오늘 말 자세, 바타야나 아사나를 수련하면서 귀인을 맞이할 준비를 해 보심이 어떠하실지? 민족시인 이육사의 '청포도' 시 한 구절 읊조려 보면서.

"하늘 밑 푸른 바다가 가슴을 열고/흰 돛단배가 곱게 밀려서 오면//내가 바라는 손님은 고달픈 몸으로/청포(靑袍)를 입고 찾아온다고 했으니."

[말을 마차에 매다, 요가/ 최진태]

마음은 성(性) 그 마음을 담는 그릇 명(命)이라죠/수행자 대부분은 마음닦기 숭상하나/마음 담는 그릇 허술은 참 나 근원 찾기 난망

미식도 예쁜 그릇 담아야 제맛나듯/마음도 강건 몸에 담아야 더 빛나겠죠/내 마음 닦기 원하면 그 육신도 닦아야죠

상승법 요가수행 몸과 마음함께하니/일심으로 성명쌍수(性命雙修) 결합시켜 가는 여정/건강한 몸 건강한 영혼 함께하는 수행법

9. 중생의 생명 무게 일깨워 준

구구(鳩鳩)보살, 비둘기 자세(59)

'비둘기자세'는 골반 유연성을 향상해 주고 옆구리를 강하게 자극해 옆구리 군살 제거에 효과적이다. 어깨 결림을 풀어 주며 허벅지 앞쪽 근육을 이완시켜 다리의 피로를 풀어 준다. 동작이 조금 힘들 때는 양손으로 바닥을 짚고 두 발바닥만 뒷머리에 닿게 할 수도 있다.   시연 안시윤.

요즈음 비둘기는 전국 시내 곳곳에서 흔하게 볼 수 있는 조류다. 비둘기는 기록상으로는 5000년 전부터 사람들이 길들여 기른 새다. 사람들이 비둘기를 즐겨 기른 것은 대개 세 가지 목적에서였다.

서신을 전달하는 통신용이 첫째였고, 아름다움을 감상하는 관상용이 둘째이며, 맛있는 고기를 얻기 위한 사육용이 셋째였다. 비둘기는 기르기 쉬운 데다 번식력이 강하고, 방향

감각과 귀소본능이 발달하였으며, 장거리 비행 능력이 높은 것을 착안하여 통신수단에 이용되었다. 고기 맛이 좋아 예로부터 활용도가 높았다.

비둘기는 까치, 참새와 함께 사람 주변에 흔한 삼총사다. 까치, 참새와는 달리 비둘기는 사람들이 주는 먹이를 곧잘 먹기 때문에 동시에 모여 살고 더 많이 번식한다. 전 세계적으로 약 300여 종의 비둘기가 있는 것으로 알려져 있는데, 도심 공원이나 건물에서 가장 흔히 볼 수 있는 비둘기는 서양 외래종인 집비둘기와 유럽에서 서식하는 바위 비둘기(dove)를 개량해 만든 품종이다.

새똥이 떨어지고 깃털이 날리면서 건물이 더러워지고 악취와 불쾌감, 그리고 전염병이 번지는 것에 대한 우려가 커지기 시작했고, 지난 2009년 유해동물로 지정하면서 지자체의 허가를 받으면 집비둘기를 포획할 수도 있다.

우리나라 토종 비둘기는 멧비둘기, 양비둘기, 녹색비둘기, 염주비둘기, 흑비둘기 5종이다. 이들은 사람과 떨어져 살고 개체수도 적어 피해를 별로 주지 않는다. 특히 흑비둘기는 울릉도와 제주도, 추자도 그리고 전남의 남해 도서에서 많이 볼 수 있다.

사람들은 각자 안주하고 싶은 마음의 고향 같은 장소 하나

쯤 품고 산다던데, 필자의 그런 섬은 울릉도와 독도인 셈이다. 지금까지 예닐곱 번은 족히 다녀왔으니 말이다. 그런 연유로 어느 문인 협회 '독도지부장'을 현재까지 역임하고 있는지도 모르겠다.

울릉도 사동1리 후박나무 군락지는 우리나라의 흑비둘기 최대 서식지로 천연기념물 제237호로 지정 보호받고 있다. 또한 흑비둘기는 멸종위기 야생생물 2급으로, 천연기념물 제215호로 지정되어 있다.
비둘기는 족외혼과 엄격한 일부일처제를 지킨다. 파트너가 죽지 않는 이상 평생 같은 배우자와 일생을 함께하기 때문에 평화의 상징인 서양과 달리 동양에선 비둘기가 금실의 상징이다.

멍청해 보일지 몰라도 머리가 좋아서 10까지 셀 수 있으며, 기억력도 굉장히 좋다. 놀랍게도 인간을 구별하는 능력이 있어 매일 비둘기들에게 먹이를 주는 사람이 있을 경우, 그 사람이 어떤 모자나 옷을 입고 있어도 알아보고 접근한다니 신기할 따름이다.

"비둘기는 강한 귀소성을 지녔다. 훈련을 받은 통신용 비둘기는 수천 킬로미터의 거리도 문제없이 되돌아간다. 한나라 때 서역 정벌에 나섰던 장건과 번초 같은 장수가 이미 비둘기를 통신용으로 이용한 기록이 있다. 당나라 때 명재상 장구령도 비둘기를 이용해 천 리 밖에 소식을 보냈다. 그래서 비둘기를 비노(飛奴) 즉 '하늘을 나는 하인'이라고 불렀다. 동양뿐 아니고 로마, 아라비아 지방에서도 통신용 비둘기를 이용해 소식을 전하곤 했다. 비둘기는 통신 수단이 발달한 오늘날에도 특수조건 아래서 정보를 전송하기 위한 수단으로 각국의 군대에서 사용되고 있다. 중국과 독일, 프랑스의 박물관에서는 전쟁 중에 큰 공을 세워 상을 받은 비둘기의 표본이 진열되어 있기도 하다."(정민)

우리나라에서도 옛날부터 비둘기를 키웠다. 1196년 고려의 최충헌이 당시 권력자였던 이의민에게 일으킨 반란도 이의민의 아들 이지영이 최충헌 동생 최충수의 비둘기를 뺏은 것이 계기가 된 것이다. 이 비둘기는 당시 무신들이 쓰던 통신용 비둘기, 그러니까 전서구(傳書鳩)였을 것이라는 추측도 있다.

비둘기는 먼 거리도 빠르게 날아가는 특성 때문에 트럼프 전 미국 대통령이 애용하는 트위터의 아이콘이 비둘기를 연상시키는 파란색 새인 것도 이 때문이다.

비둘기는 설화에도 많이 등장한다. 비둘기들이 차례대로 몸을 부딪쳐 자신들을 보살펴준 은인을 여우로부터 구했다는 이야기가 충북 보은의 의구비(義鳩碑)로 전해진다.

고조가 항우에게 패하여 숲속에 숨었을 때 비둘기가 숲에서 울고 있어서 추적하던 군사들이 의심하지 않고 지나갔는데, 훗날 임금이 된 뒤 지팡이에 비둘기를 새겨 노인들에게 주었다고 하는 구장(鳩杖) 이야기도 흥미롭다.

후한서 '예의지' 등 옛 기록에는 비둘기는 죽지 않는 새로 나온다. 노인이 오래 살라는 의미로 지팡이 손잡이 부분에 비둘기 머리 모양으로 조각을 했다. 비둘기가 죽지 않는 새라고 여겨 장수를 축원하는 의미를 담은 것이다. 지팡이를 구장(鳩杖)이라고 하는 것도 여기서 나왔다.

여럿이 머리를 맞대고 논의하는 모습이 마치 비둘기들이 서로 머리를 맞대고 먹이를 쪼아 먹는 모양을 닮았다 하여 구수회의(鳩首會議)란 말도 생겼다.
지금은 중국 과학자들에 의해 뇌에 칩이 장착되어 리모컨으로 조종되는 비둘기도 등장하였다. 아마도 조만간 이런 식으로 전선에 다시 등장할 수도 있을 것이다. 하기야 벌써 드론이 그 역할을 대신하고 있지만.

불가(佛家)에서 비둘기는 모든 중생들 생명의 무게가 같다는 부처님 가르침을 극명히 알려주는 존재다. '육도집경'에 전하는 비둘기 얘기는 생명, 생태 운동을 하는 이들에겐 특히 표본이 되고 있을 만큼 유명하다.

"인도 시비왕이 보시행을 닦고 있었다. 비수천과 제석천은 그를 시험하고자 했다. 비수천은 비둘기로, 제석천은 매로 몸을 바꿨다. 굶주린 매는 있는 힘을 다 짜내 비둘기를 쫓았고, 비둘기는 시비왕 겨드랑이 밑으로 숨어 들어갔다. 비둘기를 쫓던 매는 주림에 못 이겨 왕에게 '비둘기를 내놓으라'고 말했다. 왕은 '살기 위해 품으로 온 것을 어찌 내놓을 수 있느냐'며 맞섰다. 고픈 배를 채워야 하는 매가 협상에 들어갔다. 그렇다면 내 먹이를 빼앗은 셈이니 대신할 수 있도록 왕의 살이라도 베어 달라고 했다. 보시제일 시비왕이 아니던가. 매의 제안을 허락한 왕은 살을 떼어 저울에 올렸다. 그럼에도 저울은 비둘기 쪽으로 기울었다. 계속해서 살을 떼어 올려도 소용없자 결국 왕은 자신을 모두 저울에 올렸고, 그제서야 저울은 수평을 이뤘다. 비둘기와 매가 비수천과 제석천으로 다시 몸을 바꾸고 왕의 보시행을 칭송했다. 물론 뗐던 살점 모두 왕에게 돌려줬다."(최호승의 축생전 중)

천상천하 유아독존(天上天下 唯我獨尊)이란 말에 여러 가지 해석의 여지가 있겠으나, '모든 생명이 존귀하다'라고 읽힌다. 위 이야기에 딱 어울리는 말 같다. 하늘 아래 땅 위에 존귀하지 않은 생명은 없다는 가르침이기 때문이다. 아스탕가 요가의 첫 단계에서 강조되는 불살생(아힘사)과도 일맥상통하며 생명 존중 사상과 연결된다 할 것이다.

'백유경'에도 비둘기의 뒤늦은 후회에 관한 이야기가 나온다. 옛날에 암수 비둘기가 한 둥지에서 의좋게 살고 있었다. 그해 가을 비둘기들은 과일을 물어다가 둥지에 채웠다. 그 뒤 며칠이 지나자 과일이 말라붙어 크기가 줄어들었다. 이때 먼 곳에 다녀온 수비둘기는 암비둘기가 혼자 먹어서 과일이 줄어들었다고 생각하여 부리로 암비둘기를 쪼아 죽여 버렸다. 며칠 후 비가 내리자 과일은 습기를 머금고 차츰 불어나 다시 전과 같은 상태가 되었다. 수비둘기는 그제야 가슴을 치며 후회했지만 이미 때는 늦었다.

어리석은 사람들은 만유(萬有)가 변한다는 공(空)의 이치를 모르고 모든 것은 항상 그대로 불변한다고 생각해서 화를 자초한다는 모습을 꼬집는 이야기다.

고대 그리스의 철학자 헤라클레이토스(BC535~475)는 '판타 레이(panta rei)' 즉 '만물은 유전(流轉)한다'며 '같은 강물에 두 번 발을 담글 수는 없다' 하지 않았던가. '요가의 중심사상'에서도 '모든 것은 끊임없이 변한다'는 '전변론(轉變論)'을 제일 먼저 언급하고 있다. 우주 만물에, 이 세상 어디에 변하지 않는 것이 있으리오만 그래도 한두 가지쯤은 변하지 않는 게 있었으면 하는 소망을 품고 사는 게 어디 필자뿐이랴.

127

이 사실을 인정해야 가까운 주변 지인들이 때로는 더 부정적이고 더 고루해지고 더 낡고 더 형편없는 모습으로, 또 한결같음을 떠나서 삐딱삐딱 거리며 언행이 손발 뒤집듯 하는 모습들에 덜 실망하고, 받아들이기도 한결 편해질 터인데 말이다. 물론 긍정적이고 나날이 새로워지며 발전적인 모습으로 변모하는 데에는 격려와 박수를 아끼지 말아야 함은 당연지사렷다.

우리가 흔히 말하는 영원한 사랑과 우정, 권력, 부, 젊음, 동우회 회원의 친분, 건강 등 영원한 그 무엇을 간절히 추구하지만 영원은 단지 환상일 따름일 뿐, 영원한 것은 없다는 뜻일 테다.

'모든 것은 변한다'는 것이야말로 '영원히 변치 않는 진리'라는 말이다.

비둘기는 성경 창세기 노아의 방주에서 아주 중요한 역할로 등장한다. 대홍수가 끝났는지 알아보기 위해 놓아주었던 비둘기가 올리브나무 가지를 물고 와 평화가 찾아왔음을 말해 준다. 이때부터 서양에서는 비둘기가 평화의 상징으로 자리 잡게 되었다.
기원전 2000년대 초에 쓰인 '갈가메쉬 서사시'에서는 배 건조에 대한 구체적 정황, 홍수가 끝났는지 알아보기 위해

까마귀와 비둘기를 날려 보냈다는 것, 홍수가 끝난 뒤에 높은 산봉우리에서 방주의 문을 열고 나와 제사를 바쳤다는 것 등에서 창세기와 거의 동일하다. 이때 비둘기가 가져온 올리브 잎은 새로운 창조를 상징한다.

12세기 베네치아 산 마르크 성당을 장식한 모자이크에서는 방주에서 비둘기를 날려 보내는 노아의 모습이 사실적으로 표현되었다.

그리스도교 세계에서 일반적으로 비둘기는 영혼 또는 성령의 상징으로, 가끔 천계의 방언이나 승천, 성령 강림 등을 표현한다. 특히 흰 비둘기는 성인의 혼에 비유되어 순교자의 입에서 이것이 튀어나온다고 믿었다. 비둘기는 예수가 세례를 받는 장면에 거의 언제나 나오며, 삼위일체의 그림에도 등장한다. 비둘기는 평화와 사랑 책임 화합을 상징하며 순박함과 깨끗한 심성에 비유되기도 한다.

예수가 세례를 받을 때 성령이 비둘기의 형태로 내려왔기 때문에 비둘기는 흔히 성령의 상징으로 여겨진다. 그래서 화가들은 세례를 받는 예수의 머리 위에 비둘기가 있는 모습을 즐겨 그렸다.

히말라야의 딸인 파르바티는 자신의 남편인 시바에게 불멸에 이르는 길을 알려 달라고 오랫동안 간곡히 청한다. 마침내 시바는 파르바티에게 불멸의 만트라를 전승하게 되나 그때 마침 파르바티는 쏟아지는 졸음을 못 견뎌 잠이 들고 만다. 이때 두 개의 알도 시바와 파르바티가 깔고 앉았던 사슴 가죽 아래에서 부화를 준비하고 있었는바, 이 두 알에서 부화한 두 비둘기는 본의 아니게 불멸의 영생 영예를 얻게 되었다는 얘기도 전해온다.

개미에게 나뭇잎을 떨구어 구해준 비둘기가 뒷날 포수의 총에 맞게 되었는바, 개미가 포수의 다리를 물어 비둘기를 구출했다는 개미와 비둘기 동화도 어린 날의 아련한 추억으로 남아 있다.

전남 신안군 하의도(荷衣島) 하의면 후광리에 있는 김대중 전 대통령 생가에는 각종 기록물과 김 대통령이 오른쪽에 평화의 상징인 비둘기를 들고 서 있는 모습의 조각상이 있다.

2021년 1월 20일 조 바이든 미국 대통령 취임식에서 국가(國歌)를 부른 건 팝가수 레이디 가가였다. 검은색 상의와 빨간색 치마를 입은 그는 큼직한 금빛의 올리브 가지를 든 비둘기 브로치와 올리브 가지 귀걸이를 착용했다. 가가는 트위터로 내 가슴에 단 비둘기는 우리 모두 화해하기를 바라는 의미라며 모든 미국인에게 평화의 날이 되길 바란다고 말했다.

비둘기는 부부 금실이 좋아 종종 다정한 연인이나 부부 모습으로 비유되기도 한다. "비둘기처럼 다정한 사람들이라면 /장미꽃 넝쿨 우거진 그런 집을 지어요"라는 노랫말이 들어가는, 가수 이석이 최초 녹음한 후 그 뒤에 1971년에 발표했던 '비둘기 집' 가요가 지금도 무의식중에 흥얼거려진다.

쿠바를 대표하는 춤곡 '아바네라(habanera)'를 세상에 알린 노래 '라 팔로마(La Paloma)'에서, 여자는 하얀 비둘기로 날아올라 먼바다를 건너 사랑하는 이의 곁으로 마구 달려간다. '라 팔로마'는 '하얀 비둘기'라는 뜻이다. 스페인의 가장 아름다운 사랑 노래로 꼽히는 라 팔로마는 전 세계의 유명 뮤지션들이 1000여 가지 이상의 장르와 버전으로 노래하거나 연주해 비틀즈의 '예스터데이'와 함께 음악 역사상 가장 많이 레코딩된 노래로 기록됐다.

김광섭의 제4 시집 '성북동 비둘기'는 비정한 현대 문명에 파괴되는 자연에 대한 향수를 주제로 하고 있다.

채석장의 비둘기로 상징된 현대인이 기계 문명에 의하여 점점 살벌해지고 세속화되어 가는 현실에서 순수한 자연과 평화가 발붙일 곳 없음을 개탄함으로써 평화로운 세계를 갈구하는 상념이 전편에 흐르고 있다.

이중섭의 '가족과 비둘기'(1956), '나비와 비둘기', '비둘기를 든 남자', '물고기를 든 노인과 비둘기를 든 아이', 박항률의 '소녀와 비둘기'(2009) 회화가 비둘기를 소재로 하고 있다.

오드리 헵번은 '로마의 휴일' '티파니에서 아침을' '전쟁과 평화' '마이 페어 레이디' 등의 영화에서 명성을 날린 은막의 스타다. 오드리 헵번 사후, 유엔이 '오드리 헵번 평화상'을 2004년 2월에 제정했다.

유니세프 친선대사로 장기간 활동하며 인류애를 실천한 그를 기리기 위해서였다. 유니세프는 전쟁 피해 아동의 구호와 저개발국 아동의 복지 향상을 목적으로 설립된 국제연합 특별기구다.

'오드리 헵번 평화상'은 문인과 철학자, 시각 예술가와 연예인, 정치인들을 대상으로 선정하며, 수상자에게는 파블로 피카소가 그린 평화의 비둘기 모양의 핀이 수여되며 유엔의 친구라는 칭호가 부여된다.

오드리 헵번 그는 은막의 스타였을 때도 유독 빛나는 별이었다. 하지만 자신의 의지와 생각대로 남을 돕는 손이 되었을 때 더욱 커다란 별이 되어 사람들의 가슴속에 영원히 남았다.

비둘기 자세, 카포타 아사나(kapota asana)는 먼저 오른쪽 다리를 앞으로 구부리고 왼쪽 다리를 뒤로 뻗는다. 왼손으로 왼쪽 다리를 잡고 굽히면서 오른손은 어깨 위로 넘겨 양손을 서로 맞잡아 당기며 가슴을 앞으로 확장시킨다.

'비둘기 자세'보다 좀 더 완벽하게 완성된 자세를 '왕 비둘기 자세', '라자 카포타 아사나(Raja Kapota Asana)'라고 한다. 왕 비둘기 자세는 비둘기 자세와 같이 앉아서 두 손으로 한쪽 엄지발가락 끝을 붙잡아 당기며, 팔꿈치는 위로 세워 머리 뒤로 넘겨서 발가락이 뒷머리에 닿게 한다. 이 동작이 조금 힘들 때는 양손으로 바닥을 짚은 채로 두 발바닥만 뒷머리에 닿게 할 수도 있다.(시연 사진 참조) 또한 보조 도구로 끈(strap), 막대, 수건 등을 잡고 할 수도 있다. 이 아사나는 마치 가슴 앞 모이주머니를 쭉 내미는 비둘기와 흡사하다고 하여 붙여진 이름이다.

이 자세는 골반의 유연성을 향상해 주고, 옆구리를 강하게 자극하여 옆구리 군살 제거에 효과적이다. 어깨 결림을 풀어 주며 허벅지 앞쪽 근육을 이완시켜 다리의 피로를 풀어 준다.
가슴을 확장함으로써 폐 기능을 개선함과 동시에 심장의 기능을 활성화하여 전신의 생기를 불어넣어준다. 뒤틀린 흉추를 교정하여 자세를 바로잡아주며, 허벅지 근육과 허리의 탄력을 주어 몸의 선을 아름답게 한다. 좌우를 비교하여 잘 안 되는 쪽을 더 많이 연습해야 교정 효과가 있다.

카포타 아사나에서는 요추 부분에 뻗음을 느끼게 되나, 라자 카포타 아사나에서는 요추와 흉추 모두에 강하게 작용한다. 목과 어깨 근육도 완전히 뻗쳐지고 단련되는 효과가 있다.

'칸다 아사나', '숩타 트리비크라마 아사나' 등과 더불어 성적 욕구, 성적 에너지를 조절하는 데 유효한 일종의 브라마 차리아 아사나이다. 이 동작 후에 취하는 휴식은 비둘기의 상징처럼 몸과 마음의 평화를 가져다줄 것이다.

비둘기는 평화를 상징한다 했다. 그런 의미에서 '아사토마 찬트'를 권한다. 이 찬트(chant)는 우리를 평화로 안내하고 신성하게 노래하게 하며, 명상으로 인도하는 찬트이다. 아사토마(asatoma) 찬트는 평화와 자유의 상징이다.

<OM ASATOMA>

"asato ma sad gamaya, tamaso ma jyotir gamaya, mrityor ma amritam gamaya, Om Shanti, Shanti, Shanti."

"우리를 허위에서 진실로 이끄소서, 우리를 어둠에서 광명으로 이끄소서, 우리를 죽음에서 불멸로 이끄소서, 옴 평화, 평화, 평화."

[카포타사나/ 최진태]

귀소본능 좋다하여 통신수단 전서구로/아름다운 모습이라 칭송받고 키워지며/기꺼이 인간 위하여 몸도 바친 나인것을

단심가(丹心歌) 부르면서 한결같이 일부일처/금슬좋은 부부애로 사람들의 부러움 사/백년인연 조강지처(부) 딴마음들 먹지마소

보살펴준 은인위해 몸을 날려 구하기도/배신을 밥먹듯이 잘도하는 인간들아/날보고 반성하시라 만물영장 부끄럽다

그댄 항상 청춘일까 그댄 만년 곧곧할까/세월에 장사없다 언젠가는 노인되니/부른 연유 새기시거라 지팡이를 구장(鳩杖)이라

비둘기가 불사조라 생각해서 그러하오/장수를 축원하는 깊은 뜻이 담겨있지/모쪼록 모멘토모리* 새기면서 살아가소

노아방주 일화일랑 하늘 우러 되새기소/대홍수가 끝났는지 알아보는 임무 맡아/날아가 올리브나무 잎과 가지 물고온 일
성인(聖人)의 영혼이며 성령의 강림이라/평화와 사랑책임 화합까지 상징하지/순백의 깨끗한 심성 부디 찾길 바라오

비둘기 모양 본뜬 핀하나 수여되며/ 유엔의 친구라는 칭호도 부여되는/은막스타 오드리 헵번 평화상을 떠올린다

노익장 과시하며 저개발국 오지 누벼/힘들고 가난한 자 한 알의

밀알되어/영원히 꺼지지 않는 별 중의 별 되었구려

옆구리 강한 자극 군살 제거 최고란다/어깨결림 풀어주고 심폐기

능 개선 하며/바른 몸 바른 자세를 바로 잡는 카포타사나

*모멘토모리(momento mori): 라틴어에서 나온 말로 '죽음을 기억하라'
는 뜻으로 현재를 기억하고 현재에 사는 것. 이것이 매 순간 죽음을 기억
하는 삶의 방식이라는 뜻.

10. '불이(不二) 사상'을 생각게 하는,

파리 자세(파시니 무드라)(60)

파리 자세는 '파시니 무드라(pasini mudra)'라 한다. 한 발을 잡고 목뒤에 올려놓는다. 목과 머리를 뒤로 치켜올리고 등은 곧게 편 채, 가슴 앞에서 합장한다. 골반의 개폐력과 확장성을 높이고 무릎 경화 방지에 효과적이다.   시연 최진태.

파리는 곤충의 일종으로 모기·등에 등의 절지동물 파리목에 속한다. 하나같이 날개가 한 쌍이다. 4장이었으나 뒷날개는 퇴화하여 흔적만 남았다. 더듬이는 세 마디로 짧으며 아래로 뾰족하게 나온 주둥이는 쏘거나 핥기에 알맞다. 완전변태를 하며 여름에 많이 발생한다. 전 세계에 많은 종류가 분포하는바, 집파릿과, 광대파릿과, 초파릿과, 벼룩파릿과

등이 있다. 한 종류를 가리킬 때누 보통 집파리를 일컫는
다.

원래 파리는 작은 조각을 가리키는 말인데, 나무의 낱 잎
인 이파리나 깨진 사기그릇 조각인 사금파리가 그 예이다.
파리는 똥파리 쉬파리 금파리 초파리 검정파리 등 앉는 자
리에 따라 혹은 몸의 색깔에 따라서도 달리 불린다. 사체
와 같은 더러운 곳에서 보내기 때문에 파리 자체가 움직이
는 병원균이라고 볼 수 있다.

모기가 사람에게 직접적인 고통을 준다면, 파리는 깐죽거리
며 사람을 괴롭힌다. 파리는 후각이 발달하여 좋아하는 냄
새가 나는 곳이라면 어디든 달려간다. 파리가 유독 사람의
얼굴에 잘 앉는 것은 냄새 중에 사람의 침 냄새를 특히 좋
아하기 때문이다.

파리는 바퀴벌레, 모기와 함께 3대 해충으로 꼽히는 벌레
다. 가장 많이 볼 수 있는 종(種)으로는 집파리와 초파리가
있다. 집파리는 모든 병충해 가운데 식품 안전성에 가장
심각한 위험을 야기한다.

파리보다 유충인 구더기는 이용도가 높다. 19세기에는 거
머리·개미와 함께 의료용으로 이용되기도 하였으며, 법의학
에서는 중요한 증거 등으로 쓰인다. 또한 땅을 기름지게

만드는 데 쓰이기도 한다. 작물의 꽃을 수분(受粉)시켜 종자를 얻는 용도. 파리가 꽃가루받이용으로 쓰이는 작물은 주로 망고이며 제주도 등에서 많이 이용한다. 사람이 먹는 망고를 해충인 파리로 수분시키는 것이라 최근에는 토마토의 수분 곤충으로 쓰이는 서양 뒤영벌을 쓰는 방법이 개발되었다.

또한 생물의 사료로 이용되기도 한다. 사마귀, 약충, 거미 유체, 소형 양서류 등의 먹이로도 초파리가 자주 이용되는데 번식이 쉽고 반응도 좋다.

아무리 파리가 유해하더라도 멸종시킨다면 전 인류급 대재앙이 일어날 수도 있다고 한다. 위생상 문제가 있다고 해도 파리가 수분에 차지하는 비중은 벌이나 다른 곤충의 몇 배 이상이고 파리가 멸종된다면 아마 인류는 채소의 섭취량이 너무 모자라 멸망할 수도 있단다. 더구나 파리는 사체나 분변(糞便) 유기물을 분해하는 역할도 하기 때문이다.

놀랍게도 파리도 사람을 따를 수 있다고 한다. 미국의 앨런이라는 곤충학자가 몸소 증명하였다고 하는데, 아끼던 파리에게 손가락을 내밀면 거기에 앉는다는 것이다.

비주얼박물관의 '고대이집트 23권'에 의하면 고대 이집트 시대의 유물 중에 파리 모양의 훈장이 발견되었는데, 전장에서 공훈을 세운 병사들에게 하사되었다고 한다. 왜 하필 파리냐 하면 파리를 위에서 보면 삼각형 모양이어서 적들을 계속 찌르라는 뜻이라고 한다.

남성용 소변기에는 가끔 뜬금없이 작은 파리 그림이 그려져 있는 경우가 있는데, 이것으로 오줌을 조준하라는 의미. 암스테르담 스키폴 국제공항에서 처음 시도한 아이디어로, 청결한 화장실에 일조하였다고 한다.

파리가 날아가는 것처럼 보였다가 사라지는 증상이 있는데 전문용어로 비문증(飛蚊症)이라 한다.

창작물에서는 무림 고수들의 비범함을 보여주는 장치로 사용될 때가 많다. 젓가락으로 파리를 잡거나 칼로 파리를 베거나 화살로 파리를 맞히는 등의 얘기가 종종 등장한다. "금파리는 죽어가는 동물의 호흡에서 나오는 탄화수소 냄새를 맡으면 쏜살같이 날아와 동물의 사체에 수백 개의 알을 까고, 그 알들은 한나절이 지나면 구더기가 되어 사체를 파먹기 시작한다. 파리 구더기가 없었다면 동물 사체는 분해가 늦어져 지구는 거대한 쓰레기장이 될 것이며, 분해가 끝난 다음 동물의 사체는 나무나 작물의 영양소가 되니 파리가 나름대로 큰 역할을 한다. 파리는 동물체의 자연회귀의 마지막 과정인 부패를 관장하는 동시에 생명을 살려

내는 의사이기도 한 것이다."(곽정식)

나비와 벌이 꽃밭에서 수분 매개체로 화려한 역할을 한다면, 파리는 더럽고 악취가 나는 곳에서 뒷마무리를 한다. 파리는 자연을 순환시키는 숨은 공로가 있지만 불결의 상징으로만 알려진 터라 제대로 대접을 받지 못한다. 파리는 화려한 꽃에는 앉지 않지만 우리 생활과 밀접한 채소인 양파의 꽃에 앉아 화분을 돕는 숨은 공로자이며 조력자들인 것이다.

파리는 다리에 있는 가느다란 털들로 냄새를 느낀다. 간혹 다리를 비비는 행동을 하는데 다리를 움직이면서 다리 부분의 불필요한 불순물을 제거한다. 이런 행동은 냄새를 더 잘 맡을 수 있게 한다.

가장 지정분한 동물로 돼지, 독수리, 대머리독수리, 나무늘보, 그리고 파리가 영광스럽게(?) 뽑혔다.

고구려 때 주몽은 부여 말로 활을 잘 쏘는 사람인데, 어릴 때 파리들 때문에 잠을 잘 잘 수 없다며, 어머니 유화부인에게 활을 하나 장만해 주십사 부탁한다. 그 후로 주몽은 날마다 실력을 연마하여 나중에는 선반 위에 있는 파리를 쏘아 맞힐 정도의 명사수가 되었다고 전해진다.

"아, 인생이란 아득한 천지에서 하루살이 같을 뿐이다. 티끌세상에서 벗어나 항아리 속의 초파리가 되지 않은 자 얼마나 되는가?"

조선시대 문사 담허재 김지백이 지리산 청학동을 유람하고 지은 유람록인 '유두류산기'에 나오는 문장이다.

파리를 잡아먹는 식물도 있다. 파리지옥과 끈끈이주걱이다. 습지나 암벽처럼 영양소가 부족한 척박한 환경에서 광합성 대신 단백질 덩어리인 곤충을 잡고 이를 분해해 영양소를 얻어 살아가는 방법을 터득한 식물이다.

식초병에 잘 날아드는 꼬마파리가 있으니 파리목 초파릿과의 초파리다. 서양에선 과일에 뀐다 하여 '과일파리(fruit fly)'라 부른다. 초파리는 '이슬의 연인'이라는 뜻의 작명도 얻고 있다. 사실 초파리를 썩어가는 과일로 끌어들이는 것은 이슬이 아니라 발효하고 있는 효모이다.

초파리는 다루거나 키우기 쉽고, 한살이가 일주일 남짓으로 매우 짧다. 알을 많이 낳아 통계처리가 용이하고, 염색체가 8개로 적은 데다 우생 침샘에 거대 염색체가 있어서 그지없이 좋은 실험 모델 생물이다.

유전학·발생학·행동학·생태학 등에서 오랫동안 사랑받아 왔다. 당뇨·암·면역·노화·치매와 관련된 의학연구에도 쓰이는

데, 병을 유발하는 유전인자가 사람과 75%나 유사하기 때문이다. 우주생물학 연구와 인간 질병 연구에서는 없어서는 안 될 존재이기도 하다. 또한 초파리는 1초에 220번가량 날개를 떨어 사랑의 세레나데를 부르는 노고를 아끼지 않는다고 한다. 사랑에는 국경·나이가 없다는 말 외에 사랑은 하등·고등생물에 관계없이 전력투구해야만 쟁취할 수 있다는 말도 생길 법하다. 역시나 매사에 공짜는 없나 보다.

술을 마시고 눈망울이 불그레해진 사람을 우스갯소리로 초파리 같다고 한다. 실제로 야생 초파리는 눈이 빨간 데다 알코올 분해 효소를 듬뿍 가지고 있다.

"초파리가 항아리 안을 천하로 여기듯 글이란 보고 듣고 아는 만큼 나온다"는 격언에도 초파리가 등장한다. 송나라 학자인 구양수가 말한 다독(多讀)·다작(多作)·다상량(多商量)을 떠올린다. 좋은 글을 쓰기 위해서는 많이 읽고, 많이 쓰고, 많이 생각해야 좋은 글이 나온다는 말이다.
몇 년 전 노벨 생리학상이 제프리 C 홀, 마이클 로스 배시, 마이클 영 등 미국 과학자 3명에게 돌아갔다. 이들은 밤낮에 따라 인체에 일정한 변화가 일어나는 생체주기를 유전자 차원에서 밝힌 공로를 인정받았다. 그런데 노벨 의학상 발표 직후 미국 뉴욕타임스와 영국 가디언지에는 또다시 노벨상이 초파리에게 주어졌다는 기사가 잇따라 실렸다.

로스배시 미 브랜다이스대 교수도 수상 소식을 듣고 "초파리에게 감사한다"고 말했다. 이번 초파리 연구자들은 작은 초파리를 통해 생체시계의 비밀을 밝힌 것이다. 초파리 연구로 노벨 의학상을 받은 경우는 현재(2017년)까지 모두 여섯 번이다.

과학자들이 초파리를 좋아하는 가장 큰 이유는 DNA에 있다. 초파리는 인간과 DNA가 60% 일치한다. 특히 인간의 질병과 관련된 유전자 중 75%가 초파리에게서 발견된다. 유전병인 다운 증후군에서 알츠하이머 치매, 자폐증, 당뇨병과 각종 암을 유발하는 유전자들이 초파리에서도 나타난다.

영국의 시인 윌리엄 블레이크는 1974년 '파리(The fly)'란 시에서 "나는 너 같은/파리가 아니냐?/아니, 네가 나 같은 사람이 아니냐?"라고 읊었다. DNA로 보면 그 질문에 대한 답은 거의 그렇다고 할 수 있지 않을까.

1907년 컬럼비아대의 한 실험실에서 모건 교수와 제자들은 초파리 중에 붉은 눈이 흰색으로 변한 돌연변이를 발견했다. 모건 교수는 돌연변이 초파리와 정상 초파리를 다시 교배하는 실험을 반복한 끝에 마침내 유전자가 염색체에 있음을 알아냈다. 그와 함께 현대 '유전학'도 탄생하게 된 셈이다.

뉴스위크지에서 선정한 미래를 바꾸는 10가지 발명품 중에 는 초파리의 후각을 이용한 '초파리 로봇'이 들어 있기도 하다. 이런 기술은 숲속에서 실종자를 찾는 데 아주 유용 하게 사용될 수 있다고 한다.

사람·파리·화초는 다르지만 모두 같은 구조의 DNA로 되어 있다. 어느 생물이나 DNA를 남기고자 죽을힘을 다해 살아 가고 있다고도 생각된다. 우리는 우리의 DNA를 후손에게 전하는 역사적 사명을 띠고 이 지구별에 왔는지도 모를 일 이다.

파리 자세는 '파시니 무드라(pasini mudra)'라 한다. 파시 니(pasini)는 파리란 뜻이다. '에카파다 시르사 아사나'라고 도 하며 일명 '골반 이완 체위'라고도 일컫는다.

숨을 토해내며 한 발을 잡고서 가슴·귀·목까지 올리는 연습 을 한 후에 최종적으로 발을 목뒤에 올려놓는다. 목과 머 리를 뒤로 치켜올리고 등은 곧게 편 채, 가슴 앞에서 합장 한다. 양발 교대로 실행한다. 내공이 쌓이면 서서 할 수도 있다.

골반의 개폐력과 확장성을 높이고 무릎의 경화(硬化) 방지 에 효과적이다. 허벅지 뒤쪽에 경직을 풀어주고 신장 기능을 강화시켜주며 소변 배출과 복부 수축력을 높인다. 수학력을 증가시키는 데도 유용하다.

넓적다리와 슬와근(오금)이 완전히 펴지게 하고, 목과 등을 강화시키는 효과가 있다. 척추간판 탈출증, 좌골신경통, 탈장 등의 증세가 있을 시는 이 자세를 자제한다.

1983년 노벨문학상을 받은 영국 작가 '윌리엄 골딩'의 대표작인 '파리대왕(Lord of the Flies)'은 디스토피아를 그린 소설이다. 핵전쟁을 피해 피난 가던 소년들이 비행기 추락으로 무인도에 불시착해 살면서 서로 죽이고 죽이는 야만인으로 변질해 간다는 줄거리다.

이 소년들의 모험담을 다루고 있지만 모험소설이나 성장소설로 읽히지는 않는다. 오히려 디스토피아 소설, 혹은 우화의 형식 속에 인간의 본성과 그것의 사회적 발현인 정체성(正體性)에 대한 사유를 담아낸 철학 소설에 가깝다.

파리대왕은 악마 '바알세블'을 의미한다. 막연한 공포, 내재된 악마성, 달리 생각하면 처절한 상황에서 무슨 일을 해서든 일단 살아야 한다는 인간의 생존욕구가 인간을 가장 쉽게 타락시키는 심리적 기제임을 고발하는 것일 수도 있다.

파리를 뜻하는 히브리어는 '제붑'이다. 팔레스타인의 고대

블레셋 주민들은 파리의 피해를 막기 위해 '바알제붑'이란 신을 만들어 숭배했다. 이른바 '파리 신'이다. 고대 메소포타미아에서도 파리는 병과 죽음의 신인 '네르갈'을 상징했다. 이때부터 파리에 대한 부정적 인식이 팽배하였음을 엿볼 수 있다.

소설 파리대왕은 꽤 '불편한 진실(an uncomfortable truth)'로 인간을 고발하고 있는 작품이라고 할 수 있다.

이 소설 마지막 장면에 "what you guys are doing(야 너희들 뭐하냐)?"이라는 대사가 나온다. 해병대원이 쫓고 쫓기고 있는 이 아이들 앞에 홀연히 나타나서 하는 말이다. 과연 사람이 뭔지? 인간 본연의 모습은 어떤 것인지? 인간의 본성은 무엇인지?

어느 날 선지자가 아이들 앞에 선 해병대원처럼 불현듯 우리 앞에 다가와서 "그대들 뭐하느냐?"고 묻는다면 우리는 과연 어떻게 답변하고 어떤 표정을 지을지 궁금해진다.

파리는 질병을 옮기기도 하는 통에 더럽고 징하고 불쾌한 곤충이면서도, 한편으로는 인간에게 다양한 혜택을 제공해주는 어둡고도 밝은 양면성을 바라보면서 불이사상(不二思想)을 떠올린다. 극과 극은 통한다는 이치일까?

사찰로 들어서는 마지막 문을 해탈문(解脫門) 혹은 불이문(不二門)이라고 한다. 불이(不二)는 분별을 떠난 언어의 그물에 걸리지 않는 절대 경지를 뜻한다.

화엄경에서 말하는 원융(圓融)은 모든 현상이 각각의 속성을 잃지 않으면서도 서로 걸림이 없이 원만하게 하나로 융합되어 있는 모습을 말한다. 서로 통해 아무 차별이 없고, 원만해 서로 막히는 데가 없음이다. 이것이 곧 불이(不二), 상즉(相卽)을 가리킨다.

불이(不二)라는 말은 둘이 아님이란 뜻이다. 이 세상 모든 것들의 관계, 이것과 저것, 이것과 다른 것들과의 관계는 그것들을 하나라고 할 수 있고 둘이라고 할 수 없으므로 불이(不二)라고 표현할 수밖에 없는 그런 관계이다.

이 세상에 존재하는 모든 것은 저 혼자 독립적으로 존재할 수 없다. 모든 것은 다른 것들과 맺는 관계의 그물망 속에서만 존재할 수 있다. 그러므로 이 세상 모든 것들과의 관계도 이것이 있으므로 저것이 있고, 저것이 있으므로 이것이 있는 상호 의존적 관계라고 할 수 있다.

어리석은 범부들이 가지는 분별심(分別心)은 천국과 지옥, 상층과 하층, 남과 여, 흑과 백, 이와 같이 세상을 둘, 혹은 그 이상으로 나눠 분별하고 차별하려고 한다. 이러한 잘못된 착각을 바로잡으려 하는 인식이 바로 '불이사상(不

二思想)'이다.

내 민족과 다른 민족이, 인간과 짐승, 좌와 우, 남과 북, 동과 서는 물론이고, 보통 사람들이 생각하는 행(幸) 불행(不幸), 만족과 불만족, 좋은 것과 싫은 것, 그리고 궁극적으로는 나와 너의 구분으로까지 확장되는 것이 이 세상에 갈등을 부추기는 번뇌의 출발점이라는 것이다. 불가(佛家)에서 '불이사상'은 이렇게 나누어진 개념들의 허구성에 대해 말하고 있고, 이러한 허구를 마음이 만들어내서 그 결과 스스로 고통 속에 뛰어드는 인간들의 무지함에 대해 책하고 있다.

'불이사상'은 불교에만 한정된 사상이 아니다. 동양의 심원한 사상 중 하나인 도가철학도 이러한 생각을 공유하고 있다. 노자는 곳곳에서 유와 무, 어려움과 쉬움, 화와 복, 그리고 바른 것과 기이한 것과 같이 서로 상반되는 것처럼 보이는 것들이 사실은 서로 의지하고 있음을 밝힘으로써 세상 만물이 근원적으로 불이적 관계에 있음을 보여주고 있다.(왕필의 노자 중)

장자의 제물론(齊物論)에 나오는 유명한 '나비의 꿈'도 매우 상징적인 방식으로 '주객불이(主客不二)'의 경지를 보여주고 있다.

현대 물리학에서의 '시스템 이론'은 세계를 관계와 통합의 견지에서 보는 불이적 견해를 나타내는 대표적인 이론 중 하나다. 이 이론은 세계를 모든 현상의 상호 연관성과 상호 의존성에 의해 파악하며, 이 기본구조에서는 그 특성이 그것을 형성하고 있는 부분으로 환원될 수 없는 통합된 전체를 '시스템'이라고 부른다.(카프라, 새로운 과학과 문명의 전환 중)

그런 의미에서 파리를 일컬어 우리가 해충(害蟲)·익충(益蟲)이라 구분 짓는 것은 지구의 후발 주자인, 자칭 만물의 영장이라고 칭하는 호모사피엔스의 '오만하고도 편협적이며 자기본위적인 관점일 뿐이다'라는 생각을 떨칠 수 없다.
짧지만 치열하게 살아가면서 인간에게 해(害)와 유익(有益)을 동시에 선사하는 파리들의 일상을 고찰해 보며, 우리의 삶도 일상의 철학도 되돌아보게 되는 '파시니 무드라(파리 자세)'이다.
인도 고전 '바가바드 기타'에서는 "빛과 어두움은 이 세상의 두 가지 영원한 원리다"라고 말한다.

중중무진(重重無盡) 장엄한 화엄세계 같은 '빛과 어두움의 조화!'를 뜨거운 한여름밤의 화두(話頭)로 남겨두기로 한다.

[파리 자세(파시니 무드라)/ 최진태]

더럽고 불결함을 떠올린다 그댈 보면/모습도 징하도다 반갑잖은 파리대왕/매번 눈쌀 찌프러지니 어이할꼬 이 일을

꽁보리 밥상위에 나먼저 앉아설랑/반찬도 먼저 시식 때로는 물대접에/여름날 불쾌한 기억 위생관념 무색하다

단 낮잠 즐기려다 그대 등쌀 못견디네/손으로도 부채로도 쫓아본들 무슨 소용/얼굴에 꿀이 발렸나 지독한 구애작전

푸대접만 하지마소 예쁜짓도 많이하오/꿀벌로만 일손 부족 식물들의 꽃가루받이/특히나 양파·망고를 맛 보는건 나 덕분

예쁜 꽃만 섭렵하며 누구는 귀족대우/더럽다 불결하다 날보고 욕하지만/동물사체 분해없이는 온세상이 쓰레기장

식물을 살려내니 나 또한 의사라오/궂은 일 몸낮추고 기꺼이 헌신하며/자연회귀 마지막 과정 몸바쳐서 돕는다오

법의학 일선에서 한몫하는 일등공신/구더기는 증거제시용 이만한 게 없다지요/망자의 억울함까지 풀어주는 나인것을

초파릿과 파리들의 맹활약 없었다면/그대들 자랑하는 유전학도 없었을걸/난치병 치료법 개발 나의 희생 기억하소

만물의 영장이라 그대들 우쭐대도/초파리 유전인자 칠오프로 유
사하다/지구별의 공동체인 것 쿨하게 인정하소

나의 종(種) DNA를 후손에게 전하려고/이리도 죽기살기 발버둥
치는건지/인생사 무상한지고 허탈하게 웃어본다

더럽고 불결한데 다양한 혜택주니/그대들 양면성에 불이사상(不
二思想) 떠올리며/분별을 떠난 자리에 원융무애(圓融無碍) 꿈꿔본
다

한 발 당겨 목에걸고 합장한 채 몸명상을/골반이완 무릎경화 신
장기능 강화하니/파리를 닮았다한들 그게 무슨 대수일까

11. 근본(根本) 없는 생명체 있으랴,

뿌리(Root) 자세(62)

뿌리 자세(칸다 아사나·kanda asana)는 앉은 자세에서 양 발바닥을 뒤집 듯이 한껏 당겨서 몸통 쪽으로 향하게 하고, 양 무릎은 바닥에서 떨어지지 않도록 하는 것이다. 무릎, 발목 관절과 엉덩이 쪽 근육의 경직을 완화해 주며 복부를 자극해 소화력을 증진하는 효과가 있다. 시연 최진태.

지금 한 '인간'으로서 나를 존재하게 한, 하지만 겉으로 잘 드러나지 않는 '뿌리(root·根)'를 생각해 본다.

인간의 삶에는 '생명체로서의 살아 있음과 주체로서 살아 감'이 어우러져 있다. 라틴어로 휴먼(human·인간)과 휴물 리스(humilis·낮다)의 어원은 휴무스(humus·땅)라고 한다. 이것은 삶의 뿌리에 생명을 이어 가기 위한 가장 원초적인 자연 교감이 땅에 씨를 뿌리고 먹거리를 거두는 행위임을 알려준다.

뿌리는 무엇을 의미하는 걸까? '지금까지의 자신을 존재하게 해준 것, 앞으로 존재하게 해 주는 것' 아닐까? 어떤 결과를 초래한 직간접적인 원인을 뛰어넘어 아주 구체적이고 그 자체로 살아 움직이면서 힘을 발휘하는 것이라는 의미 말이다.

뿌리가 없는 것이 있을까? 지구상에 있는 모든 사물이든 생물이든 뿌리가 없는 것은 없다.

138억 년 전 빅뱅은 우주, 우리 은하계, 태양계 생성의 근본 원인이고 미래의 열쇠를 간직하고 있다. 그래서 과학자들은 그 비밀의 문을 열어 당면한 한계를 극복하고 새로운 미래를 꿈꾸려고 끊임없이 연구한다. 이것은 과학적 난제를 해결하려는 직업적 소명임과 동시에 인류를 포함해 모든 존재의 뿌리를 알고자 하는 본능적 탐구이기도 하다.

얼마 전에(2022.8.5) 대한민국의 첫 번째 달 탐사선인 다누리(KPLO)가 성공적으로 발사되었다. 미국 중국 러시아 일본 인도 유럽에 이어 7번째 달 탐사국 대열에 오른 것이다. 명실상부한 세계 7대 우주 강국의 위상을 굳힌 이런 쾌거 역시 존재의 뿌리를 알고자 하는 본능적 탐구의 연장선상이 아닐까 하는 생각도 든다.

1976년 미국 흑인 작가 알렉스 헤일리는 '뿌리(Roots)'라는 소설을 통해 자신의 **뿌리** 찾기를 시도한 결과 잠비아에 사는 만딩카족의 존경받는 킨테 부족의 일원인 7대조 조상 쿤타킨테를 찾게 된다. 소설 **뿌리**는 이듬해 ABC방송국에서 드라마로 제작되어 미국 전역에 방영되었고, 세계 각국에서도 수입 방영되었다. 이 **뿌리** 드라마로 인하여 당시 흑인들에게 자신의 **뿌리**를 찾는 열풍이 일어났을 정도로 큰 반향을 일으켰다. 작가는 이 소설로 퓰리처상을 수상했다.

프랑스 철학자 가스통 바슐라는 식물의 **뿌리**를 '살아 있는 죽은 존재'라고 표현했다. 살아 있는 동안 결코 자신의 존재를 드러내지 않고 죽은 듯 지내지만, 식물이 살아가는 데 가장 중요한 기반임을 가리키는 데 더없이 적격인 표현이다. 그러나 이 나무**뿌리**는 평소에 제 존재를 잘 드러내지 않는다. 자신의 존재를 드러낸다는 건 식물의 죽음을 뜻하기 때문이다. 그래서 더 신비롭게 느껴지는 게 뿌리가 아닌가 싶다.

뿌리는 우리에게 매우 소중한 가치다. 누구든 어떤 생물도 근본이 없이 생겨나지는 않았으니 말이다. 속담에 "**뿌리**가 다르면 줄기가 다르고 줄기가 다르면 가지가 다르다"라는 말이 있다. 무엇이든 뿌리가 기본이고 그에 따라 모든 현상과 결과가 달라짐을 말하는 것이다.

산을 자주 찾는 사람들은 산길을 가다가 드러난 뿌리를 왕왕 밟고 지나가기도 하지만 그러나 그 뿌리를 주의 깊게 잘 관찰하지는 않는다.

잠시 발길을 멈추고 비바람에 흙이 씻겨 밖으로 드러난 나무의 뿌리를 조금만 관심을 갖고 관찰한다면 놀라운 생존의 비결을 발견하게 될 것이다.

고통과 아픔을 겪으면서도 삶의 중심을 잡기 위해 안간힘을 쏟는 뿌리의 말을, 어둠 속에서 솟아오른 푸른 생명의 말을 들을 수 있을지니. 나무는 자신이 처한 환경과 조건에 따라 아주 정교하게 뿌리를 뻗어 가면서, 위기에 대처하면서 생존을 이어감을 볼 수 있을 것이다.

나무의 뿌리는 땅속의 영양분을 줄기로 옮기는 기초 작업인 동시에 균형 잡힌 삶을 위한 필사 노력의 결과물인 것을 곧 깨닫게 될 것이며, 나무는 넘어지지 않고 생존하기 위해, 한순간도 방심하지 않고 치열하게 살아감을 느낄 수 있을 것이다.

한 뼘이라도 더 태양을 향해 손을 뻗치기 위해 죽을힘을 다해 캄캄한 어둠 끝까지 달려가는 모습, 뼈가 부러지고 살이 찢어지더라도 죽을힘을 다해 기더라도 앞으로 나아가는 자세, 지상의 균형을 이루기 위해 지하에서 중심점을

156

찾아 온몸으로 떠받치려 하는 처절한 몸부림, 땅속 어둠 속에서 애써 희망의 등불을 밝히고 절망을 견뎌간다.

한 송이 꽃을 피우기 위해 기꺼이 고통이 되고 눈물이 되고, 세상을 밝히는 한 자루의 촛불이 되는 삶을 사는 성자(聖者)의 일생과도 같은 궤적을 뿌리의 모습에서 발견할 수 있을 것이다.

특히나 오랜 세월 견딘 고목의 뿌리를 보노라면, 툭툭 갈라지고 찢기고 비틀어지고 잘려 나간 늘 푸른 노송의 뿌리를 대하노라면, 문득 주름지고 깊게 팬 이 땅의 아버지들의 손등을 보는 듯하다.

텁텁한 탁배기 한 사발 들이켜고 구부정한 등을 뒤로한 채, 눈가 한번 쓱 닦고 하늘 한번 우러르며 자식들 앞에선 애써 미소 짓던 그 아버지의 얼굴이 떠오름을 어이하랴.

여기서 뿌리라고 하면 제일 먼저 식물의 뿌리가 연상된다. 뿌리가 하는 일은 식물을 튼튼하게 고정시켜 주는 지지 작용과 흙 속에 녹아 있는 물과 양분을 빨아들이는 일을 하는 흡수작용, 당근 무 고구마처럼 뿌리에 양분을 저장해 두는 것을 저장뿌리라 하는데 이처럼 저장작용을 하기도 한다. 산소를 받아들이고 이산화탄소를 방출시키는 호흡작용도 한다.

뿌리의 송류별로는 다른 식물의 몸에 뿌리를 내리고 뿌리털 없이도 물과 양분을 받아들이는 겨우살이나 새삼 뿌리를 기생뿌리라고 하며, 뿌리의 지탱 능력을 돕기 위해 줄기에서 뿌리가 땅 위로 나와 넓게 뻗어 있는 옥수수나 수수의 부리를 버팀뿌리라고 한다.

물속에 늘어진 뿌리로 물과 양분을 흡수하고 몸이 뒤집히지 않게 하는 개구리밥이나 생이가래 부레옥잠 등은 수중뿌리이다.

나무나 돌 같은 다른 물체에 뿌리를 붙이고 자기 몸을 지탱하는 담쟁이덩굴, 송악 같은 붙음뿌리도 있다. 주로 늪이나 산속에 사는 식물의 뿌리로, 뿌리가 숨을 쉬기 위해 땅 위로 올라와 자라는 맹그로브나 벵골보리수 같은 호흡뿌리도 있다.

뿌리가 자라는 길이는 식물의 종류, 흙의 성분, 온도, 습도 등에 따라 달라진다. 보통 물이 부족한 사막에서 자라는 식물은 물을 찾아 뿌리가 길게 자라는데, 뿌리 길이가 50m가 넘는 사막식물도 있을 정도이다. 길고 튼튼한 뿌리를 가진 식물일수록 건강한 식물체로 유지할 수 있기 때문이다.

줄기에서 다시 뿌리로 내리는 반얀나무가 있다. 이 뿌리는 기근(氣根)이라 불리는 변형된 뿌리의 한 형태이다. 줄기에서 뿌리를 내린다는 반얀나무의 특성으로 인해 한 나무가 1.5km 넓이로 자라기도 한다.

인도 동부 캘커타 인근에서 자라는 한 반얀나무는 둘레가 500m에 달하고, 줄기가 25m 높이까지 성장한다. 멀리서 보면 숲처럼 보이지만 가까이서 보면 한 뿌리를 지니고 있는 한 그루의 반얀나무이다.

열대지역에 서식하는 야자수의 일종인 '워킹 팜(walking farm)'은 아주 천천히 걸어서 움직인다. 이 식물이 이동할 수 있는 까닭은 새로운 뿌리가 자란 후에 기존에 있던 뿌리를 스스로 없애는 변형뿌리를 가졌기 때문이다.

세종대왕이 훈민정음 창제 후 처음으로 글을 짓게 했는데 그게 바로 용비어천가이다. 조선을 건국한 6대조의 업적을 찬양한 내용으로 여기에 나오는 '뿌리 깊은 나무는 바람에 아니 흔들리므로 꽃이 좋고 열매가 많으니'의 구절이 시사하는 의미가 크다. 매사에 불여튼튼, 기초·기본이 중요하다는 말이다.

음악 미술 등 예능 분야는 물론이고 문학 및 각종 스포츠, 학문에 있어서도 마찬가지다.

김진섭의 수필 '모송론(母頌論)'에서 '어머니는 자녀에게 생명을 부여하고 말과 최초의 지식, 도덕 등을 가르친다는 점에서 우리의 뿌리이자 고향'이라고 주장하고 있다. 그러기에 세상의 모든 여성은 어머니가 될 수 있다는 점에서 신성한 존재 그 이상이란 말에 힘이 실린다.

대전 중구에는 1997년에 문을 연 뿌리공원도 있다. 씨족의 유래와 역사를 주제로 꾸며져 있다. 조상의 뿌리를 기리고 찾는다는 의미에서 세계적으로 전무후무한 공원으로 일컬어질 정도이다.

세간에선 흔히 '근본(根本)이 있다, 없다'라는 말을 하기도 하는데 근본이란 뜻 그대로 뿌리가 있는 나무라는 뜻인바 근본이 있는 집안이나 사람을, 또한 그 사람의 자라온 환경이나 혈통을 가리키는 말로 사용되기도 한다.

뿌리가 들어간 말씀들이 있다.

"돈을 사랑함이 일만 악의 뿌리가 되나니."(디모데 전서 6:10)

돈 자체가 나쁘다는 게 아니라 탐욕에 대한 경계 말씀이렷다. 이것을 탐내는 자들은 미혹을 받아 믿음에서 떠나 많은 근심으로 자기를 찔렀도다.

"무거운 것은 가벼운 것의 뿌리요, 고요함은 조급함의 주인이다.”‘중위경근 정위조군(重爲輕根 靜爲躁君)’, 가벼우면 근본을 잃을 것이고, 조급하면 주인을 잃을 것이다.(노자의 도덕경 제26장)

서양에서는 찔레나무 뿌리로 담배 파이프를 만들었다. 최고급 남성용 담배 파이프의 대명사인 던힐의 창업주 엘프리드 던힐이 런던 듀크가에 담배 가게를 열면서 만든 것이 바로 찔레나무 뿌리로 아름답게 수가공한 파이프였다.

차(茶)나무가 한 번 뿌리 내린 곳에서 옮기면 잘 살지 못하는 성정을 표방하여, 시집가는 집안에 뿌리를 내리라는 뜻과 아들을 낳고 차 씨앗처럼 자손을 많이 퍼트리라는 뜻도 포함되어 있어서 예전에는 딸을 시집보낼 때 차 씨를 함께 보내는 풍속도 있었다.

‘칸다 아사나(kanda asana)’ 즉 ‘뿌리 자세’는 앉은 자세에서 양 발바닥을 뒤집듯이 한껏 당겨서 몸통 쪽으로 향하게 하는데, 이때 양 무릎은 바닥에서 떨어지지 않도록 한다. 칸다(kanda)는 뿌리, 구근, 결절을 의미한다. 육체 내에 잠자고 있는 에너지 쿤달리니는 이곳 칸다나 나디(기의 통로)에 깃들어 있다고 한다. 이 자세는 무릎, 발목 관절과 엉덩이 쪽 근육의 경직을 완화시켜 주며 복부를 자극해 소화력을 증진시키는 효과도 있다. 특히 이 자세는 성(性)에

161

너지를 회복하는 동시에 성적 욕망을 제어하는 브라마차리
아에 접근하는 자세이기도 하다.

씨앗이 떨어진 그 자리가 바로 우주의 중심이자 생존의 터
전이다. 거부할 수 없는 숙명의 자리인 것이다. 아무리 거
칠고 척박한 땅일지라도 설사 그 자리가 바위일지라도 살
아남기 위해서는 생존하기 위해서는 뿌리를 내려야 한다.
단단한 바위 속일지라도 사력을 다해 파고 들어가서, 밀고
나아가서 생존점을 찾아야 한다. 주어진 운명을 거부할 수
없다면 받아들여야 하는 것이다.

고난과 절망 속에서 굴하지 않고 좌절하지 않고, 주어진
조건 속에서 최선을 다할 때 '진인사 대천명(盡人事 待天
命)'이라 했다. 언젠가 꽃피우고 열매 맺는 날도 오지 않겠
는가. 비록 탐스러운 꽃이 아니더라도 '듬실듬실'한 열매가
아닐지라도 말이다.

[으라차차 /최진태]

생명의 불꽃/활화산 같이 타올라 바위도 쪼갠다/견디고 버텨온 인고의 세월/'파멸 당할 수도 그러나 패배는 안돼'*/두 주먹 불끈. *헤밍웨이의 '노인과 바다' 중 산티아고 노인의 독백.(사진은 부산 금강공원 안에 서 있는 '바위를 뚫고 자란 소나무')

첨부된 사진과 같이 부산 금강공원 내에는 바위를 뚫고 아예 바위까지 쪼개며 뿌리를 내린 후 푸른 기상을 내뿜고 있는 '바위를 뚫고 자란 소나무' 한그루가 서 있다. 그 소나무 앞에 서면 숙연하다 못해 경건해진다.
그 삶의 실존 현장 앞에서 다른 것은 사치일 것 같다는 생각도 든다. 필자는 힘들고 지칠 때 삶의 무게가 짓누를 때, 이 소나무를 찾는다. 그 기상을 온몸으로 받들고자 하는 마음으로 이 소나무 앞에 선다.

이처럼 바위가 틈새를 내어주는 것은 빛과 꽃을 품고 있는 뿌리의 간절하면서도 처절하기까지 한 기도와 염원에 움직였기 때문이리라.

고래 힘줄보다 질긴 생명의 힘과 생존의 거룩함이 바위를 뚫었도다. 홍진영이 부른 '산다는 건' 유행가 가사가 떠올려진다. "산다는 건 다 그런 거래요/힘들고 아픈 날도 많

지만/산다는 건 참 좋은 거래요./오늘두 수고 많으셨어
요….”

세상엔 보이지 않게 희망을 떠받치기 위해 고통을 즐거이
감수하는 나무뿌리와 같은 사람들도 많다. 눈에 잘 띄지
않는 이런 뿌리와 같은 사람들이 있어서 세상은 균형과 조
화의 미를 갖게 되나 보다.

요가에서 추구하는 가장 큰 덕목 역시 균형(밸런
스·balance)과 조화(하모니·harmony) 아니던가.

화려하지도 시끌벅적하지도 않지만 그저 덤덤하게, 맡겨진
그 자리에서 제 소임과 역할을 다하고 있는 민초들의 삶
역시 이런 뿌리에 해당된다 할 것이다. 보이지 않는 곳에
서 묵묵히 뿌리의 역할을 다하고 있는 모든 분들께 고개
숙여 감사드리고 싶다.

사람의 일생엔 행복한 나날만이 있는 게 아니다. 안정과
평안은 무수한 위기와 혼란, 좌절과 번뇌 속에서 삶의 뿌
리가 단단해진 덕분에 얻어진 결과일 것이다.

그러므로 싱그러운 녹음, 아름다운 꽃·햇빛에 빛나는 열매
는, 보이지 않는 뿌리의 고통과 어둠이 키워낸 눈물의 성
취물임을 한시라도 잊어선 안 되겠다. 정안수 앞에 두고

새벽이슬 맞으며 아들딸 잘되라고 기도드리는 어머님들이 떠올려진다.

뿌리는 어떻게 될지 정해지진 않았지만, 그 무엇을 향한 첫 움직임에서 뻗어 나온다. 오랜 시간이 지나 알기 어렵다고 해서 가볍게 지나칠 것은 아니다. 뿌리를 모르고서 지금과 여기를(now&here) 말할 수 없고 미래를 향한 돛을 올릴 수 없다. 그러므로 나와 우리를 키워낸 뿌리를 찾는데 인색해서는 안 될 일이다.

얼마 후면 가을 추수가 시작되고 햅쌀과 햇과일로 조상들께 감사의 마음으로 차례를 올리는 한가위, 중추절(仲秋節)이라고 일컫는 추석이 온다. 서양의 명절과 다른 점은 단순히 먹고 즐기는 축제가 아니라, 인간의 도리를 다하여 후손이 경건하게 조상의 뿌리를 되새기는 날이라는 점이다.

꼰대의 소리라 하겠고 고리타분한 말이라고도 하겠으나 사랑하는 남녀가 만나 결혼의 문턱에 섰을 때 아직도 여전히 서로의 가문을 들여다보게 되고, 서로의 부모나 형제 친척 심지어 선조들까지 짚어보게 됨은 무엇을 뜻하는 것일까? 그런 후손들에게 존경받고 자랑스럽다는 말을 들을 수 있다면 더없이 좋겠으나, 그렇지 못할지라도 최소한 부끄럽지 않은 모습만이라도, 맹자가 말한 수오지심(羞惡之心)을 잃지 않고, 거창하게는 역사의 심판대 앞에서 추한 모습은 보이지 않아야 하지 않을까 하는 생각이 들면 정신이 번쩍 나면서 새삼 옷깃을 여미게 된다.

오늘 뿌리 깊은 나무 즉 근본이 있는 인간의 의미를 되새겨 보게 되는 것은 순전히 '칸다 아사나(kanda asana·뿌리 자세)' 덕이다.

우리에게 진정한 뿌리는 무엇일까? 앞에서 기술한 가족의, 가문의 족보 같은 뿌리도 중요하겠지만 내게 평온함과 평상심을 가져다주는, 내가 세파에 흔들거리거나 좌절하거나 절망할 때, 모든 걸 내려놓고 주저앉고 싶을 때 나를 다시 우뚝 서게 하는 것들은 과연 무엇일까? 그러한 곳을 향하는 내 마음의 뿌리는 어디에 있을까? 그 뿌리는 누구에게 있을까? 그 뿌리는 어느 기억 속에 있을까? 그 뿌리는 고전의 어느 한 구절 속에 있을까? 어느 말씀 속에 있을까?

어느 절대자에게 있을까?

그것도 아니라면 어느 순간에도 절대적 신뢰를 주고받는 단 한 사람만이라도 옆에 있다면, 평생지기가 있다면, 그것이 부모 자식 사이든 부부 사이든 연인 사이든 사제 간이든 친구 사이든 그런 내 마음의 뿌리 하나 단단히 잡고 있다면, 그런 나를 받쳐주는 뿌리 하나 있다면, 그것은 성공한 삶이라 할 수 있지 않을까? 그는 이 세상의 어느 누구보다 행복한 사람 아닐까?

그것이 우주에서 지구별로 던져진 하이덱거가 말한 피투성(被投性·geworfenheit) 존재의 최대의 행운이며 축복일 것 같다.

그러나 바라지만 말고 기대하지만 말고 나 스스로가 그렇게 되어 보는 것은 어떠할까 하는 생각도 해본다. 비록 허상일지라도 그러한 모습을 꿈꾸는 모습이 사뭇 아름답지 않은가? 사랑은 받는 것보다 주는 것이 더 아름답다 했거늘.

뿌리는 근본이다. 근본은 삶을 지탱하는 핵심이라 할 수도 있다. 생명의 뿌리(root), 마음의 뿌리(root)를 생각하면 이렇듯 사유와 성찰이 한없이 확장되고 더 깊어짐을 체험하게 된다. 그것은 우주의 근원까지 우주의 뿌리(root)까지 우리의 본성(本性)이 거슬러 올라가기 때문이리라.

아마도 아마도 아마도,

"키싸스(quizas) 키싸스(quizas) 키싸스(quizas)."

[칸다 아사나(뿌리 자세)/ 최진태]

뿌리없는 생명체가 이 세상에 있을소냐/사물이든 생물이든 그것
이 우주 섭리/근본을 기억한다는 그 자체가 삶의 통찰
삶의 중심 잡기위해 고통과 아픔까지/온 몸에 상흔조차 생존의
동력이다/젖먹던 안간힘까지 쏟아부은 결과물들

넘어지지 않으려고 생존하기 위해설랑/한 순간도 방심하면 아니
된다 되새겼지/이렇듯 치열한 삶을 살은 흔적 담겨있다

눈물을 되삼키며 절망을 견디었다/땅속이며 어둠속에서 희망 등
불 밝히면서/한송이 꽃을 피우려 온 몸 바쳐 걸어온 길

안정과 평안일랑 거저되지 않았구려/삶의 뿌리 단단해진 그 덕분
에 얻은 결과/잊지마오 뿌리는 근본 모든 사물 핵심인걸

아름다운 저 꽃이며 튼실한 열매보라/진통과 위기 속에 키워낸
성취물들/한시라도 잊지마소서 그 노고를 치하하오

갈라지고 찢겨진 채 비틀리고 잘려나간/노송의 뿌리보면 울퉁불
퉁 깊게 패인/이 세상 아버지들의 주름진 손등 생각

정안수 앞에 두고 새벽이슬 맞으면서/아들 딸 잘되라고 두 손 모
은 어머님들/날 키운 팔할의 힘은 보이지 않는 저 손였군

거슬러 올라간다 뿌리를 사유하면/생명의 근원이며 우주의 본질

까지/근본있는 인간이로세 예사롭지 않은 말

양 발을 잡아당겨 가슴에 부쳐본다/생각보다 쉽지 않네 예상외로 힘들다네/그래도 시도해본다 흉내라도 내어본다

바닥에 무릎부쳐 양 발바닥 가슴향해/발목과 무릎관절 자극에 만족한다/거창하게 브라마차리아 달성까진 언감생심

12. 그대의 몸과 마음·영혼의 밭을 경작하라,

쟁기 자세(63)

'쟁기 자세'를 할 때는 먼저 등을 대고 누워 두 다리를 나란히 모은다. 양
손으로 바닥을 짚고 발을 들어 올리면서 머리 너머로 넘겨 발끝을 바닥에
닿게 한다. 팔을 굽혀 등을 받쳐도 좋고, 손깍지를 낀 채 바닥에 밀착해
정지 동작을 취할 수도 있다.   시연 황은주.

쟁기는 소나 말, 기계 등의 힘을 이용해 논밭을 가는 데
사용하는 농기구로, 땅을 갈아엎어 잡초를 제거하고 토양이
숨 쉬기 편하게 다공성(多孔性)으로 만드는 역할을 한다.
오늘날에는 대부분 트랙터를 동력으로 이용한다.

땅도 숨을 쉰다고 한다. 김을 맨다는 것은 땅이 숨을 쉬게
하는 것이고, 딱딱하게 굳어가는 땅을 부드럽게 해주는 행
위이다. 이처럼 굳은 땅에 공기와 빛을 골고루 나누어 주
는 선행자(先行者)의 역할을 하는 것이 쟁기이다.

170

사용한 땅은 영양분이 부족하기 때문에 늘 사용하던 땅에 씨앗을 뿌리면 꽉 찬 열매를 수확하기 어렵다. 알찬 열매를 수확하기 위해서는 매년 쟁기로 땅을 갈아엎어 싱싱한 흙을 만들어야 한다. 소는 앞에서 끌고 농부는 뒤에서 밀며 쇠붙이로 된 쟁기는 뒤를 돌아보지 않고 나아가기만 하는 원리, 땅과 농부에게 희망을 주는 기구가 곧 쟁기이다. 조상들의 번뜩이는 지혜의 산물이며 보물 같은 존재다.

쟁기가 지나간 땅은 지렁이가 생장하고 온갖 미생물이 살아 넘치는 토양으로 바뀌는 것을 보면 자연과 더불어 상생하는 모습을 보게 된다.

쟁기는 한 마리 두 마리 소나 말이 끌게 마련이지만, 소나 말이 없을 때는 부득이 사람이 끌기도 하였다.

가축을 사용한 쟁기의 사용은 메소포타미아와 이집트 등에서 기원전 3500년 무렵부터 나타난다. 쇠로 된 보습을 사용하기 전에는 나무나 돌을 다듬어서 썼다. 한반도에서는 기원전 3000년 무렵의 황해도 봉산 지탑리의 신석기 유적에서 긴 타원형의 돌보습이 발견되었다.
쟁기라는 말은 쇠로 만든 연장이나 무기를 뜻하는 '잠개'에서 비롯되었다고 한다. 16세기 이후 잠개는 점차 '잠기'로 변화되었고, 18세기에 이르러서는 '장기'로 바뀌며 그 의미도 농기구를 가리키는 것으로 한정되기 시작했다. 20세기에 들어서 장기가 '쟁기'로 바뀌기 시작해 이것이 표준어로 굳어졌다.

삼국사기의 신라본기에는 22대 지증왕이 논밭을 갈 때 소에 쟁기를 매어 끌게 하는 우경(牛耕)을 전면적으로 실시했다는 기록이 전해진다. 그 용도와 관련하여 쟁기는 다산과 풍요의 상징으로도 알려져 있다.

인도의 2대 서사시로 일컬어지는 라마야나와 마하바라타 중의 하나인 라마야나의 저자는 발미키(valmiki)이다. 라마야나는 비슈누 신의 아바타인 라마 왕세자를 중심으로 이야기가 전개되는데, 이 라마야나에서 쟁기는 풍요의 여신 락쉬미의 아바타로, 시타 탄생 부분에 등장한다.

먼 옛날 고대 인도 북부에 아주 현명한 자나카 왕이 살고 있었다. 비데하 왕국의 자나카 왕은 자신이 가진 부와 명예에도 불구하고 겸손한 삶을 살았다. 카르마 요가 수행자였다고도 한다. 어느 날 자나카 왕이 밭에서 쟁기질을 하는데 쟁기 날에 무언가 묵직한 것이 걸리는 게 아닌가. 땅을 파보니 커다란 알이 나왔는데, 그 알에는 작은 소녀가 잠들어 있었다. 왕은 그를 자신의 딸로 삼았고, 고랑이라는 뜻의 '시타'라 이름 지었다. 흙에서 태어난 시타는 훗날 라마를 만나게 되어, 이 두 사람은 '라마야나' 모험의 주인공이 된다.

중국에서 곡식 문화는 국가의 존속에 매우 중요했으며 황제는 특별히 보관해 두었던 호화로운 장식용 쟁기로 매년 봄 신성한 밭을 쟁기질하는 의식을 백성들에게 시범 보였다.

어떤 문화권에서는 여성이 쟁기질과 상징적으로 관계되어 있어 이따금 여성은 실제의 쟁기질이나 쟁기질하는 시늉에 의하여 비를 내리게 할 수 있다고 여겼다. 코카서스의 프샤우와 츄수르 지방에서는 가뭄이 들 때 '비를 쟁기질'하는 의례를 지낸다. 처녀들이 쟁기에 몸을 묶고 그것을 강물 속으로 끌고 들어가 허리까지 물에 잠겨 걷는다. 인도에서도 이와 비슷한 전통이 남아 있다.

예수가 제자들을 가르치면서 온전히 헌신하지 못하고 세상일에 연연하는 것을 지적할 때 쟁기가 비유적으로 사용되었다.

"예수께서 이르시되 손에 쟁기를 잡고 뒤를 돌아보는 자는 하나님의 나라에 합당하지 아니하니라" 하시니라.(눅9:61)

내 손의 쟁기는 우리에게 주어진 생명이다. 우리가 우리의 생명을 신의 뜻과 나라를 위해 사용한다면 그것은 신을 위

한 쟁기질이라 하였다,

쟁기질은 씨를 뿌리고 결실을 거두기 위한 지혜의 수단으로도 곧잘 묘사된다.

"믿음은 씨앗이다. 선행은 그 씨앗이 열매 맺게 만드는 바이고, 지혜와 인내심은 쟁기이다."

"마음은 고삐이고 근면성은 참을성 강한 황소이다."

"밭은 다르마다. 잡초는 세속적인 것에 매달리는 마음이다. 쟁기는 불후의 열매를 씨 뿌리고 거두기 위한 지혜의 수단이다." 붓다의 말씀이다.

'할라 아사나(hala asana)'를 '쟁기 자세'라 칭한다. 등을 대고 누워 두 다리를 나란히 모은다. 양팔은 몸통 옆에 붙인 채 양손으로 바닥을 짚는다. 양 발바닥은 천장을 향해 들어 올리면서, 동시에 머리 너머로 넘겨서 발끝을 바닥에 닿게 한다. 양손은 그대로 바닥을 짚거나 팔을 굽혀 등을 받쳐 세워도 괜찮고, 손깍지를 낀 채 바닥에 밀착하며 양 발을 뒤로 넘긴 채 정지 동작을 취할 수도 있다. 어깨를 조금 안으로 모아서 어깨와 팔이 바닥에 닿게 함으로써 목에 부담을 덜어줄 수 있다.

만약 발끝이 바닥에 닿지 않는다면 무리하게 목을 젖히지 말고 양손으로 허리를 받치거나 의자 또는 요가 블록 등의 도구를 사용해 다리를 받쳐 놓아도 된다. 목에 무리가 가지 않도록 목덜미를 길게 늘인 상태에서 어깨가 매트에 닿게 한 채 시선은 배꼽을 향한다.

할라 아사나 후에는 상응된 동작인 마시야 아사나(물고기 자세)를 꼭 함께 해주어 한쪽으로 쏠렸던 목의 긴장을 풀어줄 필요가 있다. 발끝을 당겨서 다리 뒤쪽의 햄스트링 부분이 충분히 자극될 수 있게 한다. 목 질환이 있거나 임산부의 경우 자세를 느슨하게 하며 발가락이 바닥에 닿지 않게 한다. 생리 중일 때는 자제하는 게 좋다. 이 자세 실행 시 가능한 한 고개를 좌우로 돌리거나 움직이지 않도록 주의한다. 자칫하면 목뼈에 체중이 실려 목뼈에 무리가 갈 수도 있기 때문이다.

변형 동작으로 두 다리를 머리 뒤로 넘긴 후 좌나 우로 이동시킬 수도 있다. 이를 '파르스바 할라 아사나'라고 한다. 가능한 한 다리가 머리와 일직선이 될 때까지 최대한 이동시켜 본다. 다리가 움직일 때 가슴과 몸통은 그대로 유지한 채 행한다. 이 자세는 더욱 오장육부를 활성화시키는 효과를 가져오며, 특히 쾌식·쾌변·쾌면으로 가는 지름길이 될 수도 있다.

단순해 보이는 이 자세의 효용성은 의외로 많다. 열거하자면 첫 번째로는 소화 기능을 개선하고 식욕을 주절하는 데 효과적이다. 속이 더부룩하거나 가스가 차서 답답한 상태라면 가스를 배출할 수 있다. 체내에 쌓인 독소를 제거하도록 돕기 때문에 복부 팽만감 완화 및 위장 기능 향상에 효과적이다.

두 번째로는 뱃살을 포함해 체지방 제거 및 복부 근육 강화에도 효과적이다.
세 번째는 혈액순환을 촉진해서 하체 부종이나 하체 비만에 효과적이다.

네 번째로는 어깨와 척추를 뻗는 이 자세는 척추의 유연성을 강화하는 효과가 있다.

다섯 번째로 목 뒤쪽을 마사지하는 효과가 있어 부교감신경을 활성화한다. 부교감신경이 자극되면 혈압이 낮아지고 심박 수가 줄어들어 정신적 육체적 긴장을 완화시키는 작용을 한다.

마지막으로 림프와 신체 혈액순환을 촉진하여 하지부종과 통증을 줄여 준다. 특히 갑상선을 자극하여 갑상선 호르몬 조절 기능을 활성화시키는 효과가 있다.

목 아랫부분 양쪽에 있는 갑상선은 크기는 작지만 아주 중요한 내분비 기관이다. 갑상선은 호르몬을 내보내 우리 온 몸에 퍼져 있는 당·지방·단백질 같은 여러 물질대사가 원활하도록 돕는다. 성장기에는 몸이 잘 발달하도록 해주고, 성장 후에는 몸을 잘 유지하도록 해준다.

반면 이 갑상선 호르몬이 과도하게 분비되면 심장박동이 빨라져 숨이 차고 마음이 불안해진다. 또 몸에 열이 나고 몸무게가 줄어든다. 또 너무 작게 나오면 쉽게 피곤해지고, 마음이 우울해지며 몸이 차가워져서 몸무게가 늘어나기도 한다. 그러므로 갑상선 호르몬은 많아서도 적어서도 안 되는 매우 중요한 기능을 가지고 있다.

이 외에도 도가(道家)에서 말하는 '환정보뇌(還精補腦)'의 양생법 효과도 가져다주는 자세이다. 환정보뇌를 하면 몸의 활력이 충만해지고 마음이 평화스러운 상태로 유지된다. 화(火)가 치밀 때 유용하다. 뇌경색과 심장마비를 예방해 주는 효과가 있다. 하타 요가에서는 쟁기 자세를 심장 마사지 자세라고도 부른다. 심장에 쌓인 긴장을 풀어주는 데 효과적이기 때문이다.

쟁기 자세는 내가 세상을 바꾼다고 하는 의식 속에 숨어 있는 아상(아함까라)과 아집과 명예욕 등을 조절하는 데도 효과적이라고 국내에서 손꼽히는 요가 고수 사치타난다 요기는 말하고 있다.

또한 후뇌를 각성시키는 자세이기도 한데 보통 전뇌만 발달하고 후뇌가 각성되지 못하면 뒤를 보지 못하기 쉽단다. 뒤라고 하는 것은 상대방의 처지, 역지사지의 마음가짐, 주변에 대한 배려심 등을 일컫는데 의식이 앞으로만 쏠려 있게 되면 이런 것들을 놓칠 확률이 높아진다는 것이다. 잘못하면 이중인격, 철면피, 위선자, 후안무치한 성격의 특성을 나타낼 수도 있다는 말이기도 하다. 이 역시 고수들의 말이니 새겨들을 필요가 있다고 본다.

배꼽 아래 있는 두 번째 차크라를 밭 전(田) 자를 써서 단전(丹田)이라고 한다. 우리 몸이 땅에서 나서 땅에서 자라고 사후엔 다시 땅으로 돌아가기 때문에 몸을 밭으로 비유한 게 아닐까? 쟁기 자세가 부각되는 이유이기도 하다.

이 자세는 비장 기능을 억제할 수 있어 신경이 예민한 사람은 과도하게 자세를 취하지 않는 게 좋다. 제자리로 두 다리를 돌려놓을 때도 서두르지 말고 천천히 돌아온다. 자칫 목과 어깨, 허리 부분에 무리가 갈 수도 있기 때문이다.

해마다 농부가 땅을 갈아엎어 토양에 다공성을 유지시키는 것처럼, 요가는 정신의 개방성과 수용성을 유지하기 위해 부단히 그 토대를 갈고닦아야 하는 것이다. 그렇게 함으로써 요가 수행자는 생생하게 날이 선 쟁기와 같이 마음의 분별력을 바로 세워 자신의 삶을 비옥하게 만들어 갈 일이다.

노자의 도덕경에 '신외무물(身外無物)'이란 말이 있다. 육체가 없으면 아무것도 없다는 뜻이다. 그래서 육체를 '보이는 마음'이라고 어느 석학은 정의하고 있다.

육체를 먼저 갈고닦아야 정신도 단련된다는 말이다. 하타요가의 기본 정신이기도 하다. 수많은 요가 체위 중의 하나인 이 쟁기 자세로 먼저 육체의 밭부터 건강하게 갈아 보는 거다.

루마니아 출신의 세계적인 종교학자 엘리아데(Mircea Elide)는 그의 명저 요가에서 요가의 목표를 '불멸(immortality)'과 '자유(freedom)'로 정의한 바 있다. 불멸까지는 아니어도 100세 인생 시대가 아니던가. 100세까지 '자유롭게' 움직일 수 있는 '자유로운' 몸과 영혼을 꿈꾸어 봄직도 하다.

쟁기 자세는 카르마 요가의 정신을 상기시킨다. 보상에 대한 기대와 집착이 강한 사람은 그 일이 주는 진정한 기쁨을 누리기 어렵다는 말이 있듯이 자신의 기대가 충족되지 않을 때 그것이 역으로 혐오나 원망으로 바뀔 수가 있다. 그러나 일 그 자체를 즐기고, 일 그 자체를 위해 일하는 사람은 오히려 '자기 충족감(self-fulfilment)'이 더 커지고 오롯이 그가 행한 행동이나 일 그 자체에 몰입하게 되는 것이다. 그렇게 함으로써 부수적으로 행복감도 더 커지게 된다.

일 그 자체 속에서 신(神)을 만나 깨달음을 얻는 것이다. 이런 것을 요가 장르별 분류상 '카르마 요가(karma yoga, 행위 요가, 생활 요가)'라 일컫는다. 불가(佛家)에서 말하는 무주상보시(無主相布施)의 실천이며, "오른손이 한 일을 왼손이 모르게 하라"는 성경 말씀처럼 이것이 바로 카르마 요가이다.

농기구인 쟁기가 그러하듯 쟁기 자세 또한 일과 노동을 상징한다. 아무런 조건을 달지 않고 아무런 보상을 기대하지 않는 그런 일과 그런 노동을 행하는 것을 말한다. "당신은 농부와 같아야 한다. 농부는 미래의 수확을 생각하여 행복해하는 것이 아니라 씨를 잘 뿌린 것에 행복해한다." 요가의 대가 B.K.S 아이엥가의 말을 되새겨 본다.

이처럼 쟁기 자세는 '수행자는 끊임없이 밭(심전·心田)을 갈고닦고 고르고 솎아내는 노동을 통해서만 비로소 영적으로 성숙되고 정화될 수 있음'을 갈파하고 있다.

또한 우리는 새로운 마인드 포스(mind force)를 끌어올리기 위해서라도 끊임없이 쟁기질이 필요하다. 마음은 일종의 밭, 심전(心田)이다. 쟁기질하지 않는 밭은 순식간에 황폐하게 변해버리고, 이런 땅에는 씨앗을 뿌려도 많은 수확을 기대하기 어렵다.

"땅이 부드럽고 공기가 통하게 하기 위해 매년 쟁기질을 해야 하듯이 마음의 밭을 주기적으로 쟁기질하여 개방성과 수용성이 유지되게 해야 한다." 스와미 시바난다 라마의 말이다.

쟁기는 우리의 생명을 말한다. 우리 손에는 모두 쟁기가 하나씩 쥐어져 있다. 쟁기를 손에 쥔 자는 앞만 보고 나아가야 논밭을 똑바로 갈 수 있다. 뒤를 돌아보거나 좌우로 치우치면 밭고랑이 구불구불해진다. 손에 쟁기를 잡은 사람은 목표가 뚜렷하고 분명해야 한다는 말이다. 그 쟁기를 어디에, 어떻게, 누구를 위해, 무엇을 위해, 어떤 의도로, 어떻게 쓰며, 어떻게 활용할 것인가 하는 명제가 우리 앞에 놓여 있다.

오늘도 나는 나의 육체의 밭, 나의 영혼의 밭을 잘 갈고 있는지? 나는 내 인생에서 무엇을 경작하고 있는지? 내가 부숴야 할 딱딱한 흙덩어리는 무엇인지? 돌이켜 보는 깊은 사유와 성찰이 필요한 시간이다. 쟁기질을 통해 대지는 숨을 쉬듯, 우리는 몸과 마음의 전답을 고르게 갈고닦아서 인간의 본성(本性)이, 아트만(atman·참된 나)이 새록새록

숨 쉬도록 해야 하지 않을까?

아울러 이 사회에 쟁기와 같은 역할을 하는 사람들이 더욱 많아지고 더욱 넘쳐나기를 염원해 본다.

[할라 아사나/ 최진태]

굳은 땅 갈아 엎어 환골탈태 시켜주오/공기와 빛 들여주고 영양분도 재보충을/숨쉬기 한결 편안함 발 뻗기도 그저그만

우마는 앞서 끌고 농부는 뒤서 민다/좌고우면 하지 말고 오로지 앞으로만/목청껏 노래한다네 오곡백과 풍년가를

생명을 불어 넣고 희망 가득 뿌리는군/지나간 자취마다 꿈틀꿈틀 생기 만발/이 세상 그대와 같은 사람들로 넘쳤으면

두손은 허리받쳐 양발은 머리 뒤로/쾌식 쾌변 물론이고 쾌면까지 인도 하네/어깨 척추 풀어주면서 갑상선도 원활하게

철면피 후안무치 이 세상 내가 최고/배려심도 바닥이네 끝이 없는 아상(我相) 아만(我慢)/후뇌를 각성시키는 쟁기 자세 답이 될까
배꼽밑 차크라를 단전(丹田)이라 한다지요/땅에 나서 땅에 자라 땅으로 돌아가니/우리몸 밭으로 비유 그 연유를 새길지다

각자 손에 쥐고 있는 쟁기는 우리 생명/명징한 의식 갖춰 제대로

된 사유 성찰/그래야만 심신의 밭도 곧게곧게 갈려지네

생생하게 날 세우고 곧게 선 쟁기처럼/우리 마음 분별력도 이처럼 바로 세워/각자의 삶 비옥하도록 부지런히 갈고 닦길

13. 낡은 허물을 벗고 재생과 부활을 꿈꾼다.

코브라 자세(64)

코브라 자세는 명문혈을 자극해 인체의 근본적 생명 에너지인 샥티의 순환을 돕는다. 손바닥을 어깨와 일직선이 되게 놓고 코브라가 목을 치켜든 것처럼 고개와 상체를 천천히 들어 올린다. 가능한 한 양발을 모은 후 괄약근을 조였다가 숨을 참은 다음 내쉬면서 자세를 푼다.　시연 임은주.

매끈한 몸을 자랑하고 여러 개의 알을 낳는 뱀은 다산과 풍요의 상징이다. 하지만 갈라진 혀와 독, 차가운 몸, 그리고 징그러운 모습이 신과 사람들에게 부정적인 이미지를 심어준 탓일까. 뱀은 애욕과 복수의 화신이나 한 서린 동물로 종종 등장하곤 한다.

뱀을 그토록 싫어하는 것은 반드시 그 독(毒) 때문만은 아닌 것 같다. 웬일인지 동서고금 할 것 없이 신화, 전설, 민담에는 유난히 뱀 이야기가 많이 등장한다. 징그러우면서도 끌리는 힘을 갖고 있다는 증거이다.

지나친 혐오감 뒤에는 호기심과 관심이 있는 걸까. 뱀은 겨울잠을 자기 때문에 불사(不死), 재생, 영생의 존재이며 다산성(多産性)이기 때문에 풍요와 재물의 신이며, 생명 탄생과 치유의 힘, 지혜와 예언의 능력, 끈질긴 생명력과 짝사랑의 화신(化身)으로 종종 등장한다.

"뱀의 형상은 단순한 선(線) 모양을 하고 있지만, 움직임에 따라서 여러 가지 모습을 낳는다. 기어갈 때는 강물이 흐르는 것처럼 곡선을 그리고, 똬리를 틀면 동그란 원이 된다. 늘어나기도 하고 응축되기도 하는 뱀의 형상은 신축자재의 생성 운동을 상징하게 된다. 이 때문에 뱀은 인간에게 있어서 위험한 짐승이지만 동시에 숭앙하는 대상물이 되기도 한다."(이어령)

성경 내 창조 설화나 인류의 기원에 아담과 이브, 그리고 뱀의 모습을 취한 마귀의 꼬임에 빠져 교만으로 신권(神權)에 도전한 인간은 급기야 선악과를 따먹어, 그 결과 인간의 온갖 고통과 범죄의 시작인 원죄(原罪)를 얻게 된 사실에 대해서도 인식하게 되었다.

한국 설화 속에서 뱀은 인간의 여러 얼굴을 보여주는 대리자로서 인간 내면의 여러 요소가 기묘한 동물인 뱀의 입과 몸을 빌려서 나타난다.

설화 속에서 뱀은 은혜를 갚는 선한 존재로, 복수의 화신으로, 때로는 탐욕스러운 절대 악으로 나타나기도 한다. 오래 묵은 구렁이 이무기는 용이 되어 하늘로 승천하고 싶은 자신의 소망을 이루기 위해서 물불을 가리지 않고 끊임없이 노력하며 기다리는 인내의 상징이다. 또한 저승 세계에서 뱀은 악인을 응징하는 절대자로 나타나며, 악한 사람은 뱀이 되어 다시 태어나기도 한다.

"뱀은 신의 상징으로 인류 문화사에 가장 일찍 등장하는 동물 중 하나다. 뱀은 이미 구석기 시대에 신으로서의 지위를 가지고 있었음이 많은 구석기 유물들이 증명하고 있다. 신석기시대가 되면 뱀은 대단한 신성을 지닌다. 세계적인 신화학자 캠벨(Joseph Campbell)이 지적했듯이, 대부분의 지역에서 뱀은 자연의 신성한 생명의 상징으로 경외의 대상이었다."(정형진, 바람 타고 흐른 고대 문화의 비밀 중)

고대 힌두교 경전인 탄트라(tantra) 시각에서 뱀은 우리 안에 잠재된 우주 에너지를 의미한다. 이 에너지는 똘똘 감긴 것, 스프링, 용수철이란 의미의 쿤달리니(kundalini)라 부른다. 마치 몸을 똘똘 감고서 잠자는 뱀과 같기 때문에 붙여진 이름이다. 이 뱀은 세 바퀴 반 정도 똬리를 틀고 잠을 자고 있고, 그 입으로 자신의 꼬리를 물고 있는 형태이다. 탄트라에서 이것은 시바의 아내인 여신 삭티(sakti)

를 이르는 말이기도 하다.

쿤달리니가 잠들어 있을 때, 우리는 의식이 각성되지 않은 채로 무감각하게 살아가게 된다. 한의학에서 삭티는 정(精)이다. 아사나·호흡·명상 등 다양한 형태로 요가 행자들은 쿤달리니를 일깨워 척추를 통해 정수리 백회(사하스라라 차크라)까지 끌어올리는 시도를 부단히 하는 것이 수행이다.

라오스의 불상들을 보면 뱀이 수호신으로 모두 조각되어 있다. 부처가 똬리를 틀고 있는 뱀 위에 앉아서 명상이나 고행을 함으로써 척추 밑에 '코브라의 기운'으로 알려진 뱀의 영적 에너지 즉 쿤달리니 에너지가 깨어난, 빛을 내는 막대기가 정수리를 뚫고 치솟는 것을 불상에서 나타내고 있다.

인도의 전통 놀이 가운데 하나로, 코브라에게 피리 소리를 들려주어 코브라가 머리를 치켜들고 춤추도록 하는 것이 있다. 이것은 쿤달리니 에너지가 각성되는 모습을 상징적으로 보여주기 위한 놀이로도 생각된다.

뱀은 또한 성적(性的·sex)인 에너지를 상징하기도 한다. 생식기를 통하여 이성에게 전달되면 생명을 잉태하지만, 상단전 쪽으로 올라가면 영적인 각성을 안겨 준다고 전해진다.

요가는 '성(性·sex) 에너지를 성(聖·saint) 에너지로 바꾸는 것'을 목표로 하고 있다. 그러나 성(性)에서 성(聖)으로 가는 길이 결코 순탄치 않음을 어이하랴.

"뱀은 각 우주 시대가 끝나는 홍수에도 살아남는다는 특성이 있다. 새로운 우주가 시작되기까지 태초의 바다 위를 떠다니며, 잠든 비슈누에게 자신의 몸으로 잠자리를 제공할 것이다. 뱀은 홍수에서 살아남은 유일한 생명체에서 '끝없는 존재'라는 의미의 아난타(ananta)로도 불린다. 또한 자신의 몸에 이전 세상의 일부를 간직하고 있어서 잔재라는 의미의 세샤라고도 불린다. 적절한 때가 오면 뱀의 몸에 간직한 잔재는 새로운 우주를 창조하는 데 사용될 것이다."
(클레망틴 에르피쿰)

신화에서 뱀은 탯줄을 상징하는 경우도 있다. 고대인들이 볼 때 뱀은 땅속의 지하 세계와 땅 밖의 관련 세계를 연결하는 생명줄로 상상했던 것이다.
그리스의 신, 의신(醫神) 아스클레피오스를 상징하는 지팡이에 뱀이 감겨 있는 것을 볼 수 있다. WHO 엠블럼, 엠블런스, 의사 가운에 새겨져 있듯이 의학의 상징이 되었다.

그 유명한 라오콘 군상의 조각에서 보듯이 인간을 감아 물어 죽이는 무서운 뱀이 아스클레피오스의 지팡이에서는 건강, 불로, 장수, 그리고 불사의 상징물로 존재한다.

이것과 비슷한 것으로 케뤼케이온(카투케오스) 지팡이가 있
다. 카투케오스 지팡이는 두 마리의 뱀이 똬리 모양으로
지팡이를 감고 있는 것으로 전령사, 전달자, 심부름꾼의 상
징이다. 원래 이 상징은 그리스 신화에서 여신 헤라의 전
령사인 여신 이리스의 지팡이에서 유래되었다. 나중에는 제
우스의 전령인 남신 헤르메스에게도 이 지팡이가 사용되기
도 했다. 대한의사협회, 국군 의무사령부, 육군 의무병과의
표장도 두 마리의 뱀이 있는 케뤼케이온을 차용하고 있다.

우로보로스(uroboros)는 자기의 꼬리를 먹는다는 헬라어에
서 유래했으며, 그 의미는 '나에게 끝은 곧 시작이다'라는
말이다. 이 우로보로스는 힌두교에서는 윤회의 바퀴이자 잠
재 에너지라는 의미로서 쿤달리니와 같은 상징을 가진다.

본래부터 신과 우주와 윤회를 상징하는 원(圓)에 대한 로망
은 대중문화 곳곳에 드러나 있는데, 특히 자기 꼬리를 먹
는 뱀인 우로보로스는 매우 특징적이어서 사람들의 이목을
쉽게 끌고 있다.
원은 우주자연의 영원 불멸을 상징하는데 고대인들은 인간
의 결핍과 불완전성을 절감하며 끊임없이 윤회하고 생성되
는 불멸의 도상에서 신적인 무엇인가를 발견하고자 하였다.

뱀이 꼬리를 문 형태를 취한 것은 껍질을 벗으며 자신의

모습을 그대로 간직하는 파충류의 특징에서 자신의 삶을 삼키면서 다시 비옥하게 만드는 재생을 상징하고 있기 때문이다.

가스통 바슐라르(Gaston Bachelard) 또한 일찍이 우로보로스가 "새로운 피부를 만드는 능력과 끊임없이 자신을 먹어치우는 뱀"으로 순환을 상징한다고 했고, 뒤랑은 "시간 변형의 상징은 파충류 안에서 다원 결정되는데, 파충류는 스스로 껍질을 벗으면서 동시에 자신의 모습을 그대로 간직하고 있다"고 말한다.

융 역시 우로보로스를 "소멸과 생성, 자신의 삶을 삼키면서 비옥하게 하고, 다시 죽인 다음에 새롭게 삶 속으로 가져오는 용(龍)"이라고 정리한 바 있다.

우로보로스가 상징하고 있는 이 원은 시간적인 형태의 순환을 공간적인 형태로 현시하고 있다는 차원에서, 공간과 시간 밖에서 공간과 시간을 영원히 만들며 지속시키고 있는 우주 창조자의 현현(顯現)이라 할 것이다.

"뱀이 갖고 있는 독이 악이나 죽음을 의미하지만, 동시에 독은 인간의 생명을 구하는 약이 될 수 있다는 양의성을 지니고 있다.(…)극과 극이 반전되어 독과 약을 구분할 수 없게 된다는 것이다. 플라톤이 제시한 파르마콘

(pharmakon)의 화두처럼 건강과 질병, 선과 악, 생과 사, 암흑과 광명의 경계를 허무는 것이다."(이어령)

빛과 그늘은 공존한다. 빛이 있기에 어둠이 있고 어둠으로 인해 빛은 그 존재가 더 선명해진다. 모든 존재는 나름의 역할과 의미를 지니니 쓸모없는 존재란 없다. 이를 제대로 모르는 무지나 선입견이 문제가 되는 게 아닐까.

플라톤은 '파이드로스(phaedrus)'에서 '글'을 파르마콘 즉 '망각과 치유'로 언급하면서 약(치료제)과 질병이라는 의미를 동시에 가지고 있는 '파르마콘(parmacon)'이라고 말한다. 즉 약과 질병은 서로 보충되고 대립되는 것인데 '글'은 이러한 모순을 동시에 가진다는 것이다. 이중성과 애매성을 의미하는 파르마콘은 독이자 동시에 약이며, 축복이자 동시에 저주이기도 한 것이다.

그래서 독을 가진 뱀 역시 인간을 해하는 죽음의 상징이요, 악이지만 동시에 인간을 구제해주는 건강과 장수와 재생, 그리고 불사의 힘을 주는 의학의 상징이 되기도 하였다.

뱀의 독을 채취해 그 종(種)의 해독제는 물론 항암제, 난치병 약 및 화학약품에까지 널리 사용되는 것을 봐도 알 수 있다.

"우리는 상징들이며, 상징들 속에서 살아간다(we are symbols, and inhabit symbols)." 에머슨의 말이다.

뱀은 치유와 불사의 상징으로 죄로부터 회복되는 상징을 지니게 되었고, "사람의 아들도 높이 들려지지 않으면 안 된다."(요한3:14)
이뿐만 아니라 정교회의 주교들은 청동의 뱀을 표상하는 지팡이를 권위의 상징으로 삼고 있다. 기독교인들은 모세의 지팡이를 십자가로, 청동 뱀을 예수에 비유한다.
우리 민간신앙에서도 뱀은 한 가정의 재물을 쌓아둔 곳간을 지키는 업으로 숭앙된다. 업구렁이가 나가면 집안이 망한다는 생각이 뿌리 깊게 박혀 있는 한국의 뱀은 기독교의 사탄과는 또 다른 샤머니즘을 낳았다.

용비어천가에 "뱀이 까치를 물어 나무 끝에 얹으니 성손(聖孫)이 바야흐로 일어나려 함에 기쁜 일이 먼저 있게 되었도다"라고 했듯이 뱀은 풍요와 번영의 상징이 된다.

짜증 한 번 냈다가 축생계로 떨어진 수행자 이야기도 전해진다. 생불(生佛)로 불릴 정도로 덕이 수승했던 스님이 산책 중 갑자기 회오리바람이 불어 먼지가 스님을 덮치자 "뭔 고얀 놈의 바람이 이렇게 먼지를 일으키는고"하며 자신도 모르게 버럭 짜증을 냈는데, 그날 꿈속에 한 노인이 나타나 그를 경책하니 놀라 일어나려는데 몸이 말을 안 듣는다. 스님의 몸이 구렁이로 변해 있었던 것이다.

'일기진심 수사보(一起嗔心 受蛇報).' '한 번 화내면 뱀의 업보를 받는다'는 무서운 가르침이었다.

이 말대로 한다면 아마 세상은 온통 구렁이들이 득실거리는 곳으로 되었을 법도 하다. 그러나 말다툼이나 논쟁이나 청문회 등에서 화를 먼저 내거나 흥분하면 거의 수세에 몰린다는 것을 왕왕 접하게 되니 틀린 말도 아닌 듯하다.

수행의 척도는 화(火)를 얼마나 잘 다스리느냐에 있다고 말한다. 그러고 보면 참 쉽고도 어려운, 단순하고도 복잡한 수행의 길이다.

중국 후한 때 응빈이 한 고을 원으로 있을 때, 어느 날 문안 온 부하직원 두선에게 술을 대접했다. 마침 벽에 **빨간** 칠을 한 활이 하나 있었는데, 그것이 잔에 든 술에 뱀처럼 비쳤다.

두선은 오싹 놀랐으나 상관 앞이라 아무 말도 못 하고 억지로 마셨다. 그리곤 그날로 병이 나서 몸져눕게 되었다. 응빈은 병문안을 가서 병이 난 연유를 듣고 집에 와 곰곰이 생각하던 중 벽에 걸린 활을 보고 이유를 깨닫게 되었다. 그래서 두선을 불러 뱀이 아니라 활의 그림자였다는 사실을 얘기해 주었더니 두선의 병이 그 순간 말끔히 나았다고 한다. '배중사영(盃中蛇影)'이란 '잔 속에 비친 뱀의 그림자'란 뜻으로, 병은 마음에서 생긴다는 사실을 말해주고 있다.

서정주 시인이 1936년에 22세 나이로 시인부락에 발표한 '화사(花蛇)'는 '뱀'을 주제로 하고 있다.

천경자 화백은 20대 후반 매우 충격적인 소재로 30여 마리의 뱀이 뒤엉킨 '생태(生態)'를 발표했다. 이 소재를 통해 고통과 질곡의 인생 역정에서 이탈할 수 있었다고 밝힌 바 있다.

이중섭이 1954년 그린 '해와 뱀'도 시선을 끈다.
전남 보성의 대원사 티벳 박물관 소장 '피리 부는 어린 크리슈나'에선 연꽃 위에 서서 피리를 부는 모습으로, 여기에 주인을 보호하는 다섯 마리 코브라가 등장한다.

아울러 파괴와 재생의 신 시바는 역동적이면서도 정적이고, 금욕적이면서도 에로틱하게 묘사된다. 이때 시바는 호랑이 가죽을 입고 뱀을 목에 두른 모습으로 흔히 등장한다.

코브라 아사나를 범어로 부장가 아사나(bhujanga asana)라고 한다. 손바닥을 어깨와 일직선이 되게 놓고, 마치 코브라가 목을 치켜든 것처럼 고개와 상체를 천천히 들어 올린다. 이때 팔의 힘이 아니라 하복부에 집중된 힘으로 행한다. 등뼈를 서서히 젖히면서 경추, 흉추, 요추, 선추까지 차례로 기(氣)의 흐름을 느끼면서 행한다.

치골 및 발끝이 바닥에 닿게 한 후, 그대로 동작을 유지한 채 천천히 숨을 내쉬면서 역순으로 상체를 내린다. 이때 가능한 한 양발을 모은 후 항문의 괄약근을 조였다가 숨을 참은 다음 내쉬면서 자세를 푼다. 상체를 최대한 위로 들어 올린 후 턱은 바짝 당기고 눈은 부릅뜬 채 목표물인 먹잇감을 향하는 코브라의 모습을 취해본다.

양팔을 쭉 뻗고 하는 걸 원칙으로 하나 허리가 불편할 때나 고혈압이 있을 때는 양팔을 반만 펴거나, 팔꿈치를 바닥에 붙이고 한다. 또는 한 발을 옆으로 직각으로 굽힌 아르다 부장가 아사나를 행하거나, 양다리는 쭉 뻗은 채 양손은 뒤로 하여 허벅지나 발목에 닿게 할 수도 있다.

이 자세 실행 시에 허리 뒷부분 요추 3번과 4번 사이에 있는 명문혈(命門穴)에 강한 자극이 오는데, 이곳을 활력과 에너지를 관장하는 생명의 문이라 한다. 이 명문혈을 자극하는 것은 신장의 기운을 도와 인체의 근본적 생명 에너지인 삭티의 순환을 돕게 된다.

이 자세는 허리의 경직을 풀어주며, 가슴의 흉선을 발달시킨다. 정신 집중력과 아나하타 차크라(중단전, 단중혈)를 자극하게 되어, 포용력을 갖춘 넉넉한 성품을 유도하게 된다.

심리적으로 흥분을 가라앉히는 역할을 한다. 기분이 우울하거나 처지는 날 이 자세를 정성껏 해보기를 권한다. 폐기능도 활성화된다. 임맥을 따라 하단전으로 기를 내려 신장에 자극을 준다.

가슴이 좁거나 상체가 빈약하고 자세가 앞으로 굽은 사람이나, 오래 앉아서 생활하는 사람, 특히 공부한다고 앞으로 몸을 숙이고 있는 수험생들에게 권하는 자세이다. 임산부는 이 자세를 자제한다.

코브라는 성장하기 위해 수시로 허물을 벗어야 한다. 우리는 다시 태어나기 위해 몇 번이나 낡은 껍질을 벗어야 될까? 매번 그것은 작은 부활이며 보다 큰 재탄생이 될 것이다.

뱀은 미끄러지듯 소리 없이 움직이지만, 결정적인 순간에는 엄청난 집중력을 발휘한다. 또한 뱀은 눈꺼풀이 없으니 입을 닫고 산다.

그 모습을 보면 깨어 있는 묵언 수행자의 모습 같기도 하고, 끊임없이 자아성찰과 사유를 추구하는 눈 푸른 납자(衲

子)를 떠올리게 한다.

"너무 빨리 내닫거나 느리지도 않고, 모든 것은 다 허망하다는 것을 알아챔으로써, 헤맴(迷妄·미망)에서 벗어난 수행자는 이 세상도 저 세상도 다 버린다. 뱀이 묵은 허물을 벗어 버리듯이." 수타니파타 사품(蛇品) 중에 나오는 말이다.

지혜와 유혹, 선과 악의 투쟁 등을 역설적으로 나타내는 뱀의 이중성은 우리의 마음속에도 항시 존재한다. 두려움과 욕망의 독이 존재하고 재생과 지혜의 빛이 존재한다. 만약 우리가 욕망의 뱀이 아니라, 내적인 힘과 지혜를 상징하는 뱀의 현명함을 취할 수 있다면, 우리 내부에 잠재되어 있는 참된 나(眞我·atman)에게 접근하는 또 다른 길이 되지 않을까.

꾸물거리고 꿈틀거리지만 그래도 조금씩 앞으로 나아가야 하는 것이 우리네 삶이다. 목표하는 방향으로 천천히 전진하는 뱀처럼 생(生)의 굴곡을 두려워하지 않는 것은, 희망한 자락이 바로 저 언덕 너머에 무지개마냥 걸려 있기 때문이리라.

고대에는 뱀이 현생과 내세, 인간과 하늘을 연결해 주는 무지개에 비유되기도 했다지 않는가.

"노력이 작은 결실을 맺었을 때 느끼는 성취감으로 자신감이 생기고, 그 자신감은 다시 그 습관을 강화해 준다"는 말이 있다.

김연수 작가는 '지지 않는 말' 중에 "할 수 없는 일을 해낼 때가 아니라, 할 수 있는 일을 매일 할 때, 우주는 우리를 돕는다"고 말한다.

'지속의 힘'만큼 강한 게 또 있을까? 심신의 건강을 위해 쉬지 않고 꾸준히 요가 수련 또는 그 밖에 각자 취향에 맞는 운동을 권한다. 우리의 건강은 행복감을 가장 먼저 만들고 느끼게 해주는 바꿀 수 없는 재산이기 때문이다. "몸은 마음을 돕고, 마음은 몸을 돕는다." 그래서 성명쌍수(性命雙修) 수행이라고 하지 않던가.

"하려고 하면 방법이 생기고, 하지 않으려고 하면 핑계가 생긴다"는 말이 있다.

'코브라 자세'로 끝없이 엄습하는 삶의 무게로 인해 웅크렸던 상체를 활짝 뒤로 젖히며, 신이 주신 선물인 오늘 하루, 오늘 현재(present)를 활기차게 맞이해 볼 일이다.

14. 성(性, sex) 에너지를 성(聖, saint) 에너지로

바꾸어 보는, 브라마차리아 아사나(66)

브라마차리아 아사나를 실행할 때는 상체를 바르게 세우고 다리를 곧게 펴고 앉아 엉덩이 옆 바닥에 양손을 붙인다. 팔꿈치가 구부러지지 않게 펴고 양다리를 위로 들어 올린다. 팔근육, 복부 근육, 하단전을 강화해 주며 괄약근의 수축력을 높여 요실금에 도움이 된다. 욕망을 다스려 의지력을 높이는 데도 유용하다.　　　　　　　　시연 최진태.

예술이냐 외설이냐를 놓고 법정에 섰던 장편 소설 '북회귀선'의 미국 작가 헨리 밀러는 "섹스는 환생해야 할 아홉 가지 이유 중 하나이다. 나머지 여덟 가지는 중요하지 않다"고 말한다.

이렇듯이 성(性)을 성(聖)스럽게 느끼는 마음과 추하게 느끼는 마음이 순간순간 교차한다. 우주는 음과 양의 거대한 성력(性力)으로 구성되어 있다. 음양의 우주 생성 에너지가 사람의 생명체에도 들어와 있으며, 회음부에 잠재하고 있다. 이 종자(種子)가 일부 현상적으로 발현되고 있음이 곧 생명력(vitality)이다.

성력(性力)이 넘쳐흐를 때는 주위를 매혹시키는 체향이 풍부하게 일어나서 매력이 넘치는 자태가 되며, 보다 고차원적인 정신에너지로 승화되어 생명력의 발현이 높아진다. 왕성한 성 에너지와 호흡 능력, 올바른 자세의 체력과 바른 이해력이 삶의 기쁨을 맛보는 자기실현의 추진력이라고 흔히들 생각한다. 그러므로 특히 정력을 낭비하는 것을 경계하는 것이다.

이러한 생각은 고대로부터 구도자나 종교수행자들에게 소중한 문제였으므로 금욕주의가 등장했다.

요가에서 우주의 생식력 또는 생성력이라고 하는 삭티(sakti)는 우주의 원천적 힘을 뜻하는 인간의 근본 에너지인 성(性) 에너지를 뜻한다. 성(性)은 성(聖)스러운 우주의 신성(神性)이고, 개체의 모든 능력의 기본 에너지는 역시 성력(性力)이다. 그러니까 성력(性力)의 성숙과 그 활용이 끝나면 삶의 흐름도 멈추게 된다고 본다.
이 삭티를 일깨워 활성화할 필요성이 대두되었다. 성(性)과 속(俗)은 단일한 에너지의 양극이 된다. 이 성(性) 에너지를 어떤 방향으로 쓸 것인가가 문제다. 성(性)을 통해서 아래로 사용하면 생명이 잉태되는 것이고, 위로 끌어올리면 특히 상단전 쪽으로 올리게 되면 깨달은 성자(聖者) 무니(muni)가 된다는 뜻이기도 하다.

그러고 보면 성(性)과 성(聖)은 동전의 양면과 같다고 할 수 있다. 사용하는 사람의 의지에 따라 뱀과 용으로 갈릴 수도 있다는 말이다.

요가 수련의 8단계에서 첫 번째 단계가 금계(禁戒, yama)이다. 살생하지 말 것, 도둑질하지 말 것, 탐욕하지 말 것, 그리고 브라마차리야 즉 금욕(禁慾)을 강조하고 있다. 금욕은 비윤리적인 남녀관계의 금지뿐 아니라 본능적인 자기 욕구의 절제·억제를 말한다.

요가에서는 생명 에너지인 성(性) 에너지를 정신적이며 영적인 성(聖)스러운 에너지로 승화시켜가는 것을 전제로 하고 있다. 정(精)이 소모될 때 소중한 에너지가 흩어져 버리고, 정신력을 쇠약하게 하여 의식의 집중을 어렵게 만든다는 것이다. 이것은 집착과 욕망, 열정으로부터 자유로워지기 위해서도 더욱 그러하다.

고전 요가 경전에서는 "정력의 남용은 죽음을 부르고 정(精)을 몸속에 보존하면 몸속에서 향기가 나고 모든 지력(智力)이 빛난다"고 언급하고 있다.

요가수행자의 절제하는 삶은 본능까지도 다스릴 수 있어야 하며 그리하여 누적된 힘을 구도와 지성의 계발에 쓰고 잘 못된 것과 싸우는 용기와 지구력으로 활용하라고 강조한다. 성(性) 에너지를 조절하여 창조적인 방향으로 흐르게 하는 것이다.

'브라마차리아'란 말을 번역하면 '신의 길을 걸어간다'는 뜻이다. 생각·말·행위의 순화와 같은 뜻도 포함된다. 이는 감각적 쾌락을 자제함으로써 감각기관에서 얻을 수 있는 것 이상으로 깊은 생명력을 얻을 수 있기 때문이리라.

브라마차리아는 지혜의 햇불을 당기는 불씨와 같다. "통찰력이 있는 사람은 감각적 쾌락의 허망한 베일을 꿰뚫어 보고 밖으로 향하는 감각들이 내부로 향하게 하는 법을 배운다. 그는 에너지를 신성한(혼의) 사원으로 되돌린다."(B.K.S.아헹가)
가족이 있든 독신이든 일상생활에서 자제와 극기가 필요한데, 이것은 집착과 욕망, 열정으로부터 자유로워지기 위해서도 그렇다.

바가바드 기타(6-14)에서는 "침착하고 용감하고 분명하게 브라마차리아를 맹세하고 마음을 다스린 후 '나'를 생각하며 균형을 취하고 그를 앞혀 나를 그의 최고 목표가 되게 하라"고 말하고 있다.

인도의 카주라호에 가면 간디가 '다 부숴버리고 싶다'고도 하였던 남녀 간의 성적 결합을 표현한 수많은 조각상을 볼 수 있다. 이렇듯 인도는 성(性)이 넘치는 에로스 천국으로 보이지만, 한편으로는 명상과 금욕이라는 또 다른 얼굴을 갖고 있다. 인도 신화에서도 금욕적인 신과 에로틱한 신이라는 모순적인 이미지가 동시에 등장하는 것도 흥미롭다.

1938년 영국군 장교의 발견으로 정글 속에서 모습을 드러낸 카주라호 사원은 유엔이 세계문화유산으로 지정한 11세기의 건축물이다. 사암(沙岩)으로 건축한 22개의 사원이 모여 있는 카주라호는 논란의 와중에도 예술적이면서도 외설스러운 조각상들 덕분에 오늘도 수많은 관광객의 발길이 향하고 있다. 이는 AD 400년경 인도의 굽타 왕조 시대의 것으로, 우리나라 삼국시대의 초·중기에 조성되었다고 볼 수 있다.

탄트라 전통에서 남녀의 성교는 단순한 육체적인 결합 이상으로서 우주의 합일을 의미한다.

"쾌락과 종족 번식 행위가 수행의 방편이 될 수 없다는 편견이 남아 있다면, 그 편견을 버려야 조금은 이해를 할 수 있으리라. 기쁨의 세계가 누구나 원하는 어떤 차원이라 한다면 탄트라는 살아 있는 지금을 기쁨으로 삼으라고 말한다. 그러나 손잡이가 없는 칼날처럼 위험한 점까지 간과해서는 안 된다. 육체적인 탐닉에 그쳐 본질을 놓친 본능적인 몸짓이 아니라, 사랑하는 그 마음과 느낌마저 넘어서 하나가 되는, 그리하여 분리된 두 개의 육체와 영혼이 에너지의 교감을 이루어 더 높은 차원으로 상승시키려는 통로이자 시도가 성스러운 희열이 되게 한다는 것, 그것이 탄트리즘이며 실천을 위한 각자의 실천 수행이 탄트라인 것이다."(배해수)

카마는 인도의 에로스이고 그리스 로마 신화의 큐피드로서 사랑의 신으로 통한다. 카마는 욕망과 애정, 애욕을 주재한다. 리그베다에서 카마는 생명을 지닌 유일자를 처음으로 움직이게 하는 힘이라고 말한다. 그 카마가 한 권의 경전으로 묶어진 것이 카마수트라이다. 카마수트라는 성(性)에 관한 지침서이자 안내서이다. 지금도 인도에서는 결혼하는 딸에게 넣어주는 혼수품 1호이다.

"모두들 내숭을 떨지만 세상에서 가장 유명한 명제는 역시 섹스(sex)이다. 일찍이 몽테뉴는 포르노 잡지의 유행을 예견했고, 루터는 허랑방탕한 여학생의 생활을 탄식하면서도 자유연애를 지지했다. 플라톤은 화를 내겠지만, 사랑이 없

는 섹스는 있어도 섹스가 없는 사랑은 없다지 않는가."(이
옥순)

카마수트라는 고대인도의 성애론서 중에서 가장 오래되었
으며 중요한 문헌이다. 바츠야나 작(作)으로 약 4~5세기경
성립하였다고 추정된다.

첫 장을 열면 '내일 공작새를 얻는 것보다 오늘 비둘기를
갖는 것이 낫다'거나, '불확실한 내일의 금으로 만든 잔보
다 오늘의 놋쇠 잔이 더 낫다'는 그럴듯한 말들이 보인다.
알 수 없는 내세보다는 이승의 쾌락을 강조하는 것이다.
이어서 다양한 섹스의 기교와 교접, 결혼 등의 내용을 상
세하게 묘사하고 있다.

고대 인도에서는 인생 4대 목적을 다르마(법), 아르타(재
물), 카마(성애) 모크샤(해탈)라 했다. 바츠야나는 특히 카마
를 배우는 의의를 강조해서 이 책을 저술하였다. 그는 본
서 마지막에서 "이 책은 최고의 금욕과 정신통일에 의해서
세인의 생활에 도움이 되기 위해서 만든 것으로, 정욕을
목적으로 편찬된 것이 아니다"라고 기술하고 있다.

카마수트라는 겉으로는 성(性)에 대한 교본인 것처럼 보이
지만, 실은 그 시대를 살았던 영적인 세계에만 사로잡힌
이들에게 보내는 메시지도 담겨 있다. 승(僧)과 속(俗)의 경

계를 나누려고 하는 것이 얼마나 이중적인 잣대이고 눈속임인지를 말이다.

외국인들도 인도에서 외설스럽다고 고개를 흔드는 또 다른 대상 중의 하나는 남근(男根) 숭배이다. 인도에서 크리슈나에 이어 널리 숭배되는 신이 바로 파괴와 재생의 신 시바인데 코브라를 화환처럼 목에 두르고 명상하는 자세의 금욕주의자 시바는 하늘을 향한 남성의 성기 형태, 즉 링감으로 숭배된다. 링감은 시바의 지칠 줄 모르는 성적 능력을 상징한다고 한다.

"고대의 경전 우파니샤드를 보면, 암수한몸인 인간이 왠지 외로워서 자기 몸을 분열한 결과 여자가 생겼다. 성경도 같은 얘기를 전한다. 하느님은 여섯째 날에 암수한몸인 인간을 창조했고 고독한 아담을 위해 그의 기관 하나를 뽑아 여성을 만들었다고 했다. 그 남자와 그 여자의 섹스가 이 세상의 '빅뱅'이었다. 그러나 이후 문명은 에로스를 억압하면서 이루어졌다. 그 일이 아닌 창조적인 영역에 에너지를 써야 한다는 고상한 명제가 인류를 짓눌렀다. 성을 둘러싼 인도인의 갈등도 이러한 전통의 소신인 것이다."(이옥순)

남자와 여자는 자체 속에 남성과 여성을 함께 갖고 있는 음과 양의 상응체(相應體)이다. 남자는 남성이 조금 더 진

206

할 뿐이고, 여자는 여성이 조금 더 진할 뿐이다. 남자는 자기 속에 잠재된 여성적 성향과 비교적 일치하는 느낌의 바깥 여성을 사랑하게 되고 여성도 보통 그러하다고 식자들은 말한다.

"사랑하는 남녀 간에 있어서도 만남에 치우치면 피로와 고통과 마비의 둔감이 오고, 벌어짐이 치우쳐도 헤어짐과 같이 서로 의사소통이 없는 마비의 둔감이 온다. 생명의 삶은 이 두 가지의 양극적 치우침이 아니고 리드미컬한 반복의 조화이며, 중용이고 중도의 묘인 것이다. 다소 멀어진다는 의식과 행동의 실천이 서로 가까워짐을 새로이 하는 그리움을 만드는 것이다. 자연의 생명법칙은 서로 다른 성질의 균형적 화합이므로, 가까워짐과 멀어짐의 리듬을 깨뜨리면 필링이 약화된다. 따라서 사랑을 상대가 연출해도 자기화에 의해 상대의 손이 자기 손이 되어 자기가 자기 몸 만지듯이 둔감한 결과가 오는 것이다."(김광백)

밀도 높은 서로의 만남은 사랑이다. 그 반대가 미움이다. 함께함으로 지치면 홀로임이 지혜로운 처방이며, 홀로임으로 지치면 함께함이 지혜이고 처방이다. 삶은 함께함과 홀로임의 균형적 화합의 리듬이라고 할 수 있다.

농촌에서 송아지의 배태를 위해 암소와 수소를 교미시키는 경우가 있다. 이때 한 번 교미 후 더 확실히 하기 위해 재

교미를 시도하면 잘 안되는 경우가 많다. 이럴 때는 서로 마주 보지 않는 자세로 각기 반대 방향으로 걷게 한 후, 다시 돌려서 교미를 재시도하면 쉽게 성공할 확률이 높다고 한다.

바로 이것이 생명체와 우주가 지니고 있는 반작용적 행동과 의식에 대한 전환적 에너지 회복이다. 그것은 부정할 수 없는 우주의 법칙이며, 재생의 법칙인 것이다. 소들을 반대 방향으로 돌려서 걷게 한 것이 성 에너지 회복을 촉진시킨 결과이다.

요가에서는 사랑의 행동 자세 쏠림 수정의 처방법이 있다. 남성은 전후 작용의 폭이 크므로, 군에서 반동 주며 군가 부르듯이 골반을 좌우로 흔들어 준다든지, 두 다리를 모아서 성력(性力)을 가동하고자 하였으므로, 두 다리를 최대한 옆으로 벌려 골반을 열어주는 동작을 해야 한다. 여성은 두 무릎을 구부려 열린 상태로 작용하므로 허리 비틀기, 소머리자세 등의 골반 좁히기를 권한다. 남녀 공히 두 팔 뒤로 보내기 운동과 복식호흡 등을 통해 성 센터의 혈액순환을 돕고 항문을 수축시켜 성력을 각성시키며 숨 멈추기를 훈련하여 지구력을 강화하는 것이다.

요가의 한 유파인 쿤달리니 요가의 환정술(還精術)에서는 소변을 끊어보는 바즈롤리 무드라와 요료법이라고 하는 아마롤리 무드라가 권장되고 있다.

탄트리즘의 요가 수행법은 육체를 중시하고 예찬하는 하타 요가로 발전하게 된다. 하타요가는 '몸을 통하지 않고는 신성(神性)의 실현이 불가능하다'고 여기는 유파이다. 육체의 단련과 섭생에 전력하기를 바라는 것이다. 자신의 정화된 육체로부터 직접 느끼고 경험하는 신성과 불멸성, 완벽성과 무한성보다 더 확실한 초월 체험은 아마도 없을 것이라고 하타요가 고수들은 강조하고 있다.

자연은 부분을 합할 때 합 이상의 것으로 기쁨과 환희를 느끼게 하는 원리를 가지고 서로 어울리게 하고 있으며, 또다시 그것이 가능할 수 있게 되려면 남남으로 돌아가는 홀로임을 통해서만 이룩되도록 하는 것이 자연의 법칙이고 생명의 사랑 법칙이다.

우리 선조들은 특히 뼈대 있는 사대부 집안에서는 부부간에 각자 다른 처소를 쓰면서 조금씩 더 가까워지려는 몸짓과 마음에 의해 좀 더 크고 깊은 사랑의 기쁨과 아름다움을 엮어 갔다. 함께임에 치우친 편중된 사랑의 감정을 처방하는 지혜였다. 이것은 요가의 상응(相應) 원리와 일맥상통한다고 할 것이다.

레바논 시인 칼릴 지브란은 '사랑과 결혼의 시'에서 "함께

있되 거리를 두라/그래서 하늘 바람이 너희 사이에서 춤추게 하라/서로 사랑하라/그러나 사랑으로 구속하지는 말라/(중략)/함께 서 있으라, 그러나 너무 가까이 서 있지는 말라/사원의 기둥들도 서로 떨어져 있고/참나무와 삼나무는 서로의 그늘에선 자랄 수 없다" 하였다.

브라마차리아 아사나를 실행할 때는 상체를 바르게 세우고 다리를 곧게 펴고 앉아, 엉덩이 옆 바닥에 양손을 붙인다. 팔꿈치가 구부러지지 않게 펴고 손바닥에 의식을 집중하여 양다리를 위로 들어 올린다. 다리를 가능한 한 수평으로 뻗은 상태에서 몸의 균형을 유지한다.

팔의 근육, 복부 근육, 하단전을 강화해 주며 괄약근의 수축력을 높여줌으로써 요실금 등에 도움이 된다. 성적(性的)인 기운을 영적인 강화의 에너지로 승화시킬 수 있게 한다. 이 자세의 명칭처럼 욕망을 다스려 수행자의 의지력을 높이는 데도 유용한 아사나이다.

이 브라마차리아 아사나 외에도 성적 욕구를 다스리기 위한 아사나로는 파스치모타나 아사나, 파리브리타 파스치모타나 아사나, 물라반다 아사나, 칸다 아사나, 숩타 트리비크라마 아사나, 에카 파다 라자 카포타 아사나, 라자 카포타 아사나 등이 있다.

"진실로 성숙한 남자는 자신의 성적 욕구를 자기 마음대로 다룰 줄 아는 사람이다. 그는 욕망이라는 종마(種馬)를 우리에 가둬 놓은 사람이다. 종마를 우리에 가둘 수 있을 때야 비로소 그 욕망을 원하는 방향으로 몰고 갈 수 있다." 뉴질랜드 심리학자 스티브 비덜프의 말이다.

화가 날 때마다 화를 내서는 안 된다는 사실을 받아들인 것처럼, 성적 욕구가 충동질할 때마다 그것을 행동화해서는 안 된다는 사실을 받아들이는 자세가 참으로 쉬운 듯하면서 또한 그렇게 호락호락하지 않음을 모르는 이가 있을까. 그것이 곧 브라마차리아인 것을.

논어 '안연편(顔淵編)'에 극기복례(克己復禮)란 말이 나온다. 충동적이고 감성적인 자아를 의지로 극복하며 예법을 갖춘 교육적 인간상인 군자(君子)의 이상으로 돌아감을 일컫는다.

이황은 극기복례의 길은 천리(天理)를 따르고 인욕(人欲)을 멀리하는 데에 있다고 봤다. 이를 위하여 주자학에서 중시하는 수양의 두 가지 방법으로 거경궁리(居敬窮理) 즉 거경은 내적 수양법으로 항상 몸과 마음을 삼가서 바르게 가지는 일이고, 궁리는 외적 수양법으로 널리 사물의 이치를 궁구하여 정확한 지식을 얻는 일인 이 방법을 취해야 한다고 하였다. 이 같은 극기복례의 태도는 바로 구도적 정신과 결부된다.

오늘날 우리가 쓰고 있는 극기(克己)는 마음의 욕망과의 싸움보다는 극기주의(금욕주의), 극기 운동 등 육체적 훈련 과정을 지칭하는 경우에 더 많이 쓰이고 있다고 할 수 있다.

헤밍웨이의 '노인과 바다'에서 산티아고 노인이 "인간은 파괴될 수는 있어도, 패배하지는 않는다(A man can be destroyed but not defeated)"라고 한 말은 인간의 의지를 잘 나타낸 것이라 하겠다. 자기 절제 및 욕망의 극기 능력은 인간의 자유의지(free will)의 표현이란 것을 '브라마차리아 아사나(금욕자의 자세)'를 통해 한 번 더 생각하게 된다.

인도 카주라호 사원의 조각상.

[사랑이 넘치는 카주라호/ 최진태]

카주라호 사원에 가면/수많은 조각상들이 서로 뒤엉켜/원초적인 성(性)과 생명의 에너지를/밤낮없이 토해내고 있다/목하 열애 삼매경이다
행위 중에 명상에 잠기어 있는 듯한/꿈꾸는 표정들로 가득차 있다

인간은 벌거벗었을 때/가장 진솔한 모습을 만나게 된다는데/그 감각의 문을 두드리는/남과 여의 저 열정적인 몸짓들

그들은 과연/나와 우주가 하나되는/범아일여(梵我一如)를 꿈꾸던/천년 전/최초의 철학자들이었을까?/최고의 로맨티스트들이었을까?
아니면 그들은/육체가 곧 신이 거처하는/성전(聖殿)이라고 주장하고 있는걸까

카주라호 사원 앞에서/두 손 모은 수행자의 얼굴에/구슬 땀이 흥건한 건/신심(神心) 때문일까?/성심(性心) 때문일까?/참으로 불경스러운 마음 한번 내본다

부장가 아사나

[브라마차리아 아사나/ 최진태]

우주는 음과 양의 거대한 성력(性力)결합/이들이 넘쳐날 때 생명
력도 최대 발현/남용은 아니됩니다 금욕주의 등장 이유

성(性)이란 무엇일까 우주적 본능 행위/대상따라 성스럽다 대상따
라 추하기도/그 욕구 인정은 하되 절제란 말 화두일세
범속함과 성스러움 그 경계 어디일까/가장 귀한 것들 일랑 가장
천한 흔함 속에/감춰져 있다 말한다 탄트라 경전들이

성에너지 잘만쓰면 성자(聖者)도 될 수 있고/성에너지 잘못쓰면
패가망신 화 부르네/뱀과 용 갈릴 수 있다 사용하는 사람따라

'신의 길 걸어간다' 뜻처럼 정갈하게/마음을 다스려라 자제력과

극기심도/밖으로 향하는 감각 말고삐를 조이며

양날의 칼날이군 약도 되고 독도 되니/버리면 이기리라 자유로움
위해서다/묘용의 도리는 없나 성찰하고 사유하고
앉은 채 두 발 뻗고 양손은 바닥 짚고/몸통을 들어 올려 쉬운 듯
난해하다/성에너지 통제한다는 선인들의 혜안을

팔근육 복부근육 하단전을 강화하고/괄약근 탄력성을 높여주는
효과있다/성에너지 영적 강화로 승화되게 돕는다니

15. 몸과 영혼이 새로운 세계를 연다, 내 손 안에서 '손가락 요가(수인 무드라)'(67)

'다르마 차크라 무드라(Dharmachakra Mudra)'는 법륜 무드라라고도 한다. 내면과 외면의 조화를 추구할 때 많이 행하는 무드라이다시연김미선.

사람의 신체 중 어느 부위가 가장 많은 정보를 품고 있을까? 얼굴일까? 목일까? 피부일까? 눈동자일까? 사뭇 궁금하다.

누군가의 인생이 궁금하다면 상대의 손을 가만히 지켜보라고 한다. 한 사람의 삶이 오롯이 내려앉아 자신을 증명하는 것이 바로 손이기 때문이다.

손은 늘 그 사람의 최전선에서 활약한다. 세상의 온갖 희로애락애오욕(喜怒哀樂愛惡辱)을 직접 겪는다. 손은 늘 삶의 무게를 다 짊어지는 것이다.

계절에 따라 생장 속도를 달리하면서 짙고 옅은 나이테가 만들어지듯, 사람의 손 또한 온갖 오욕칠정(五慾七情)의 기억을 제 몸에 각인한다. 세상에 단 하나밖에 없는 지문처럼 그가 겪어낸 인생의 소용돌이를 저마다의 독특한 문양으로 기억한다.

얼굴 버금가는 손도 그 사람에 대해 많은 정보를 준다. 그래서 옛사람들이 신분의 증명이나 확인을 위하여 안중근 의사의 손바닥 인장처럼 수결(手決)을 사용하고 또 손금을 보았던 것이 아니겠는가?

손은 얼굴만큼 많은 걸 보여 준다. 손에는 성별이나 연령은 물론이고 직업이나 취향, 성격까지도 읽을 수 있는 단서를 내포한다고 볼 수 있다. 물론 다 맞힐 수 있는 건 아니고 추측일 뿐이겠지만, 손에는 그 사람의 시간이 쌓여 있기 때문이리라. 그래서 어떤 손은 얼굴보다 더 깊은 표정을 드러낸다. 그 손에서 거스를 수 없는 시간의 깊이를 마주할 수 있다는 의미이다.

손에는 다양한 표정이 있다. 손을 보면 그 사람이 무슨 일을 하며 요즈음 마음 상태가 어떠한지, 섬세한 사람인지

소탈한 사람인지, 부드러운 사람인지 거친 사람인지 등의 성격까지 대충 짐작이 가게 한다. 얼굴이 우리 의식의 표정을 담는 그릇이라면, 손은 잘 드러나지 않는 무의식의 표정을 흡수하고 있는 정직한 가면 같다고나 할까.

손가락에는 감각신경세포가 많이 몰려 있다. 그래서 '제2의 뇌'로 불린다. 한국인의 긴손바닥근(장장근, 長掌筋)은 서양인보다 5배나 발달해 있다. 학계 일각에서는 그 비밀을 한국인의 '젓가락 문화'에서 찾는다. 젓가락질할 때는 50여 개의 근육과 30여 개의 관절이 동시에 쓰인다. 그만큼 대뇌 움직임이 빨라지고 집중력과 근육 조절 능력이 향상된다는 것이다.

한 손은 손가락뼈 14개, 5개의 손바닥뼈, 8개의 손목뼈 등 모두 27개로 이루어져 있다. 양손 뼈의 총수는 54개다. 우리 몸을 구성하는 뼈가 총 206개인데, 신체의 5%에 불과한 손의 뼈가 전체 뼈의 25%를 차지할 정도로 많은 것이다. 신경 말단도 가장 많이 몰려 있다. 그만큼 정밀하고 섬세하다.

손은 일생 250만 번 이상 움직이며 3000여 개의 동작을 만들어 낸다. 그러면서 입을 대신해 수많은 말을 대신한다. 어떨 때는 손가락 하나가 혀보다 더 강력한 메시지를 보내기도 한다.

손바닥에는 1만 7000가닥의 신경이 통하고 있으며, 그 신경이 뇌에 직접 송신하고 또한 반사적으로 몸 전체를 통제 조절하여 몸과 정신의 건강을 유지하는 역할을 수행한다.

손도 말을 한다. 그 말을 듣기 위하여 집중한다. 앞에서도 언급했듯이 손을 보고 사람을 짐작하게도 한다. 쉽고 안일하게 산 사람의 손에는 유약함 등이 표출되며, 성실하게 열심히 산 사람의 손에는 강인함이 묻어나는 듯하다. 그 사람이 가진 삶의 궤적에 부합하지 않게 의외의 손을 가진 사람을 보면 신뢰도가 떨어진다는 생각도 든다.

"사람의 성격은 그 사람의 손에 달렸다"는 안네 프랑크의 말도 곱씹어 보게 된다.

시인 정지용은 '카페 프린스'라는 시에서 "나는 자작의 아들도 아무것도 아니란다./남달리 손이 희어서 슬프구나!"라고 노래했다.

거칠어야 할 시대에 거칠어지지 못한 자신의 흰 손을 때로 부끄럽게 여겼다는 이야기다.

손은 인체에서 일종의 전기 탐지기라 할 수 있다. 그것은 대뇌의 감각 중추가 외부로부터 자극을 느끼도록 전달 기능을 해주고 있기 때문이다.

손의 외과학(外科學)을 체계 지은 S.바넬의 '손과 외과학'
에서도 손의 인간적 의의를 강조해서 다음과 같이 말한다.
"우리들의 뇌에는 손으로 느끼고 손을 이용해서 구축해서
발달시킨 사물이나 개념이 집적되어 있다"고.

인류학자들은 인간이 동물과의 차이를 극복하고 오늘의 찬
란한 문화를 꽃피우게 된 것은 똑바로 서서 걷는 직립보행
과 불(火)의 사용, 그리고 손을 자유자재로 사용하는 일 때
문이라고 지적하고 있다.

뼈가 많다는 것은 그만큼 자유롭게 활용할 수 있는 증거이
기도 하다. 유인원은 인간과 비슷한 손이 있고 사람처럼
네 손가락의 방향이 모두 같지만 사람처럼 손을 자유자재
로 움직일 수가 없단다. 거기에 비해 이 위대한 인간의 손
의 정교한 움직임은 일명 만능의 손이라 할 수 있다.

그러기에 칸트는 손을 '눈에 보이는 뇌의 일부'라고 극찬을
했다. 독일의 해부학자 알비누스도 엄지손가락을 '단 하나
의 작은 손'이라고 표현했다.

손은 말과 눈과 더불어 자기 의사를 표현하는 기관이기도
하다. 이 때문에 수화법이 생기기도 했다. 또한 배우들이
연기할 때 가장 부담스럽고 컨트롤이 어려운 신체 부위를

들라고 하면 손이라고 한다. 손을 어떻게 자연스럽게 잘 처리하느냐에 따라 연기력이 좌우되기도 한다니 결코 무시할 수 없는 것이 손인 것 같다.

14세기 아랍인 모험 여행가 이븐 바투타는 수단의 흑인이 '여성의 손과 유방은 인체 중에서 가장 아름답다'고 한 이야기를 전하고 있다.

"이 우주에 사랑이라는 것이 있다면, 그것은 흉터로 가득한 타인의 손을 잡는 일 같은 게 아닐까. 인간의 연애 과정에서 가장 극적인 순간은 키스의 순간도 아니고 섹스의 순간도 아니다. 그것은 다름 아닌 손을 잡는 순간이다. 깍지를 꼈다? 그것은 그 어떤 애정행각보다도 의미심장하다. 깍지 낀 손은 아마도 키스와 포옹과 그 이상을 예고할 것이다."(김영민)

선현들은 말한다. "우리는 더 위대한 전체의 모든 부분이다. 안에 있는 것이 밖에 있는 것이다. 전체는 모든 부분들의 합보다 크다. 가장 위대한 것은 가장 하찮은 것 속에 존재한다"고. 꼭 손에 비유하여 하는 말 같다.

진리는, 삶의 비밀은, 밝고 건강한 삶으로 가는 열쇠는 멀리 있지 않다. 바로 이 자리에, 내 몸 안에 내 작은 손안에 비밀이 있다 해도 과언이 아닐 듯하다. 틱낫한 스님이 저

숱한 책 이름도 '내 손 안에 부처이 손이 있네'이다. 법화경 이야기다.

손가락의 상징적 표현은 고대 인도에서는 아주 중요하게 여겨져 왔다. 손가락의 다양한 제스처들이 신의 언어라고 보았고, 우주 에너지와 교감한다고 믿었다. 그래서 인도의 종교적 신들에게서 다양한 손가락의 형태를 볼 수 있고, 부처님의 형상에서도 손가락의 독특한 제스처들을 볼 수 있으며, 그들의 전통적인 춤에서도 손가락과 팔의 다양한 제스처는 그 춤의 포인트가 되어 왔다.

요가나 탄트라, 동양의 수지침, 수상학, 서양의 점성학 등의 기본 원리를 잘 들여다보면 무드라 수행이 몸의 질병은 물론 불안이나 우울증, 스트레스 등과 같은 마음의 질병을 치유하고, 궁극적으로는 영혼의 성숙에 긍정적인 영향을 미친다는 것을 알 수 있다.

분노가 치솟을 때 무의식적으로 양 주먹을 꼭 쥐게 된다든지, 중요한 소식을 기다리며 가슴이 조마조마할 때 손바닥으로 가슴을 쓸거나 손끝으로 명치 부분을 지그시 누른다든지 하는 행위, 뭔가 간절히 원한다든지, 어찌할 수 없는 무기력한 자기 능력의 한계를 느꼈을 때, 가슴이 철렁하는 충격적 소식을 접했을 때, 우리는 무의식적으로 두 손을 꼭 부여잡고 누구에겐가 어디엔가 기도를 올리게 된다.

오랜만에 반가운 사람을 만났을 때 서로의 손을 꼭 부여잡는 일도 마찬가지다. 이처럼 무드라는 우리가 미처 의식하지 못하고 있었을 뿐 우리의 몸과 마음, 영혼의 각 단계에 많은 영향을 미치고 있다. 의식하지 못했을 뿐 모든 사람이 이미 일상에서 어느 정도는 무드라를 행하고 있는 것이나 마찬가지다.

언어가 끊어진 자리에, 언어를 초월한 세계에 오히려 침묵으로 전해줄 수 있는 의사표시를 '무드라(mudra)'라고 한다. '무드라'라는 단어는 '기쁘게 하다', '즐겁게 하다'를 의미한다.

무드라라는 말은 상징적인 몸짓을 말하는데, 무드라는 다양한 이름으로 알려져 있다. 불교에서는 수인(手印)이라 하고, 그 밖에 인(印) 혹은 도장(圖章), 상징적 언어, 도상(圖像), 제의(祭儀) 등으로 불린다. 무드라는 여러 가지 형태로 전해져 내려온다.

손 무드라는 손가락의 상징적 코드를 이용하여 내 몸과 마음을 온전하게 하여 건강 회복과 평상심을 찾고자 하는 일종의 명상 요법이다. 손가락을 구부리거나 교차하거나 접촉하는 행위, 호흡 기법 등도 무드라에 포함된다.

손가락을 이용한 '무드라'를 '수인(手印)' 또는 '수인 무드라(手印 mudra)'라고 하는데, 손가락들을 구부리거나 맞대거나 특정한 모양으로 만드는 것과 호흡, 눈의 표정 등이 어우러진 특정한 자세는 각기 특정한 의식의 상태로 우리를 이끌어 준다고 전해진다.

"빛의 에너지가 거울에 의해 반사되는 것과 같은 원리로, 무드라는 에너지의 흐름을 조절한다. 보통 우리의 에너지는 욕망을 좇아 항상 밖으로만 흘러나가고 있는데, 무드라의 훈련을 통해 수행자는 자신 속에 거울과 같은 반사 장치를 만들게 된다. 이를 통해 분산되는 에너지를 두뇌로 되돌려 보냄으로써 몸의 상태가 변화하고 영적인 고요를 경험할 수 있게 된다"는 것을 선현들은 강조하고 있다.

그래서 어떤 학자는 무드라를 '손가락 유희'라고 번역하기도 하였다. 무한한 절대 의식과 에너지인 시바와 삭티의 유희(Lila)를 인간 차원으로 반영한다는 의미이다. (*게르트루트 히르시의 '무드라 손으로 여는 세상' 책자를 다수 인용, 참고함)

손은 인류 역사상 가장 역사가 오래된 식사 도구이기도 하다. 아니 사실 식사 도구들도 결국은 손이 있어야만 활용할 수 있으니 사실상 식사 도구계의 정점이다. 그러나 아이러니하게도 도구를 사용하는 것이 아닌 순수 식사 도구로 사용하는 행위는 대부분의 문화권에서는 비위생적 식사

224

법으로 여겨지고 있다. 하지만 아직도 세계 인구의 30% 정도는 손을 식사 도구로 활용하고 있다.

배설물과 음식물의 차이와 더불어 양손의 불평등을 인정하는 인도인 특유의 관점이 있다. 인도인은 뒤를 씻을 때 반드시 왼손을 사용한다. 코를 풀고 귀를 청소하는 것도 왼손이 할 일이다. 음식을 입으로 가져가는 일, 즉 에너지 공급이라는 중대한 사명은 당연히 오른손이 할 일이다.

영국의 시인 예이츠는 '사랑은 눈으로 오고, 술은 입으로 들어온다'고 노래했지만, 인도인은 '음식은 먼저 눈으로 그리고 손가락으로, 그다음에 입과 혀로 맛을 느낀다'고 할 수 있다. 남이 먹던 숟가락은 못 믿겠지만 적어도 먹기 전에 씻은 자신의 오른손은 확실히 믿을 수가 있다는 뜻이리라.

성경(막1:31)에는 치유와 은사의 기적을 행사하는 장면이 있다. "나아가사 그 손을 잡아 일으키시니 열병이 떠나고 여자가 저희에게 수종드니라."

또한 출애굽기(4:3~7)에서 야훼는 민중에게 자신의 신성(神性)을 나타내기 위해서 지팡이가 손에서 떨어지면 뱀이 되는데, 손으로 잡으면 지팡이로 되돌아오는 기적 및 손을 가슴에서 꺼내면 나병의 손이 되고, 다시 가슴으로 넣었다가 꺼내면 원래대로 회복되는 손이 되는 기적을 모세에게 행하게 하였다.

석가가 손을 자유자재로 크게 한 이야기는 서유기에 나와 있는데 손오공이 한 번 뛰어 십만 팔천 리를 가는 술법을 구사해서 아무리 날아도 석가의 손바닥 안이었다는 얘기도 재미있다. 아미타여래의 손바닥에는 1000개의 수레바퀴 자국이 있고 그것이 내뿜는 빛은 금빛으로 발산한다고 하였다.

시바신은 천수천족(千手千足)으로 대표되듯이 힌두의 신들에게도 손을 많이 가진 신상(神像)들이 다수 등장한다. 이슬람권에서는 손바닥을 본뜬 '파티마의 손'인 호부(護符)가 신성시되고 있다.

양궁선수들의 손가락 감각은 남달라서 화살이 손가락을 떠나는 순간 제대로 쐈는지 금방 안다. 과녁 중앙의 카메라 렌즈를 깨뜨리는 신궁의 경지도 손 감각으로 먼저 안다는 것이다. 정곡(正鵠)을 찌르는 궁극의 힘도 손끝에서 나오는 셈이다. 세계를 주름잡는 한국 골프선수들의 손 감각 역시 뛰어나다. 혹자는 손가락으로 콩알 한 알 집어 올리는 손재주 덕분이라고도 말한다. 엥겔스는 손의 노동이 언어와 함께 뇌를 발달시켜서 사람을 사람답게 했다고 말한다.

손을 많이 쓰면 뇌 기능이 좋아지고 치매 예방에도 좋다는 말은 상당히 과학적인 근거가 있는 말이다. 아동교육 전문 가들은 젓가락질, 피아노 치기, 손으로 하는 놀이 등 손을 많이 움직이는 것이 아이들의 창의력과 두뇌 발달을 자극 한다고 하며, 아이들에게 손을 많이 쓰도록 권장하기도 한 다. 이는 두뇌가 다 자란 어른에게도 똑같이 해당된다.

손을 많이 쓸수록 뇌 신경이 좋아지는 이유는 손을 많이 움직이면 뇌 신경세포가 자극되어 신경세포 사이를 연결하 는 시냅스가 생기고 시냅스가 점차 두꺼워져 뇌 기능을 향 상시키기 때문이다.

심지어 손은 인간의 나이를 대략 가늠할 수 있는 부위이기 도 하다. 실제로 나이가 들수록 잔뼈가 드러나고 표면이 거칠어지며 거무튀튀하게 변한다. 일종의 노화 현상이다.

동자승(童子僧)의 합장 기도 자세 '아트만잘리 무드라'. 최진태作

우리에게 비교적 익숙한 손 모양은 두 손을 가슴 앞에서 모으는 '아트만잘리 무드라'의 형태이다. '세상에서 가장 아름다운 손'이라 일컬어지는 알브레히트 뒤러의 '기도하는 손'과

수아 레이놀즈의 '꼬마 사무엘', 에릭 엔스트롬의 '그레이스', 밀레의 '만종' 등에 등장한다. 여기에 빠질 수 없는 것이 있다면 정화수 한 그릇 떠 놓고 가족들의 안녕을 위해 칠성님께 치성드리던 옛 어머님들의 두 손 모은 기도 자세일 것이다.

"서울에 푸짐하게 첫눈 내린 날/김수환 추기경의 기도하는 손은/고요히 기도만 하고 있을 수 없어/추기경 몰래 명동성당을 빠져나와"로 시작되는 정호승 시인의 기도하는 손도 읊조려진다.
'생각하는 사람', '칼레의 시민' 등의 조각가로 유명한 오귀스트 로댕(1840~1917)은 유독 손에 주목한 조각가였다. 연인의 손, 왼손, 커다란 손, 피아니스트의 손, 일련번호 19번으로 알려진 손, 신의 손, 악마의 손등, 손 조각 수천 점을 제작했다.

손가락의 놀림이 손에 잡히듯 묘사한 글을 만난다. "피아니스트의 손가락이 흑백 건반을 어지러이 농락하는 모습을 보면서 인간 진화의 최고 단계를 느낄 때가 있다. 저 생생

한 손가락 놀림에서 아름다운 음들이 쏟아진다는 게 신기할 따름이다. 손가락 자체가 뇌이고 훌륭한 악기다. 당대 최고의 피아니스트 호로비츠는 새끼손가락을 구부려 연주를 하는 버릇이 있었다. 그의 새끼손가락은 코브라처럼 움츠리고 있다가 순식간에 건반을 깨물었다."(최학림)

경북 포항 호미곶에 설치된 상생의 손은 국가 행사인 호미곶 해맞이 축제를 기리는 상징물이다.

제인 구달을 아프리카에 보내 침팬지를 연구하게 한 루이스 리키는 그의 동료들과 함께 1960년 동아프리카 올드바이에서 발견한 인류 화석을 분석한 결과 그들이 석기 도구를 제작해 사용했다는 결론을 내리고 '손재주가 있는 사람'이라는 뜻의 호모 하빌리스(Homo habilis)라는 학명을 붙였다.
서양권 데포르메 그림체에서는 불문율적으로 손가락이 네개씩만 그려진다. 대표적인 것이 미키 마우스이다. 다섯 개씩 그리면 자연스럽게 그리기가 불편하다는 게 그 이유란다.

손목 장애의 대표적인 질환으로는 손목터널증후군, 팔꿈치터널증후군, 레이노이드형, 수지무력증 등이 있다. 인간의 손은 손 근육이 위축되기 쉽고, 손목의 관절이 약화되기

쉽다.

박수 치기, 손가락 뒤로 넘기기, 반대로 깍지 끼기 등 손목과 손가락 등을 풀어주는 일들이 필요하다. 특히 오랫동안 컴퓨터 마우스 등을 사용하거나 장시간 게임을 할 때는 중간중간 휴식과 더불어 손 운동이 필요하다. 손 건강을 위해서.

요가의 궁극적인 목적은 우주의식과 개인의식의 결합에 있다. 각각의 무드라도 궁극적으로 우주의식에 접근하는 하나의 특별한 연결고리를 창조한다고 할 수 있다.

고대로부터 종교의식에서의 손의 위치와 자세는 인간의 특정한 의식 상태를 표현해 왔다. 기도할 때 두 손을 가슴 앞에 모으는 행위를 앞에서도 언급했듯이 '아트만잘리 무드라'라고 한다. 두 손을 가슴에 모은 것은 내면을 한곳에 집중하고, 조화와 균형, 평온, 침묵 그리고 평화를 이루는 데 도움이 된다. 이 자세는 좌뇌와 우뇌를 똑같이 활성화하고 조화롭게 한다. 이 무드라는 신의 도움을 구할 때나, 소망을 이루고 싶을 때 기원하는 의미가 담겨 있으며, 감사한 마음으로 평화와 기쁨 속에 깊이 잠기게 돕는 작용을 한다.

엄지손가락과 집게손가락 끝을 붙이고 두 손을 편안하게

넓적다리 위에 올려놓는다. 손바닥이 하늘로 향해 있을 때
는 지식과 지혜의 무드라 즉 '즈나나(Jnana) 무드라'라고
한다. 지혜와 영성을 얻기 위한 무드라이다. 땅 쪽으로 향
해 있을 때는 '친(Chin) 무드라'라고 부른다. 의식·마음을
뜻하는 단어 칫뜨(chit)에서 유래했다. 이 무드라는 인류의
욕망과 염원을 표현한다. 엄지와 검지 즉 소우주와 대우주
가 연결되면 서로를 풍요롭게 만든다.

집게손가락과 엄지손가락으로 만든 닫힌 원은 요가의 궁극
적인 목적인 개인의 영혼인 아트만과 우주의 영혼인 브라
만의 만남, 즉 개인적 나와 우주적 나를 통일시킨다는 것
을 상징한다.

인도의 무드라 연구가인 케샤브 데브에 따르면 이 무드라
들은 기억력과 집중력을 향상시킬 뿐만 아니라, 정신적 긴
장과 장애를 치유하는 데도 효과적이라고 강조한다. 명상
자세를 더욱 강력하게 하는 정신세계의 손가락 안전장치이
다.

지나간 것들은 슬프고도 아름답다. 언젠가 이 모든 시간이
그럴 것이고, 지금의 이 가을 또한 그러할 것이다.

매일 몇 분간의 고요한 시간이 필요하다. 이런 짧은 침묵
의 순간들이 가장 소중한 시간이 될 수도 있다. "잎새에
이는 바람에도 나는 괴로워했다"고 노래한 윤동주의 감수

섬은 깊은 가을 한가운데서 느끼는 존재에 대한 고통스러운 연민의 끝에 닿아 있었으리라.

가을엔 혼자가 되자. 혼자이면서도 고독한 것을 알지 못하고 달려가면서도 자신이 어디를 향해 달리는지 인식하지 못하고, 소리치면서도 그 소리의 메아리가 무엇을 울리고 돌아오는지를 깨닫지 못했던 건 아닐까. 이 가을이 주는 화두로 바로 그대가 홀로 서 있다는 사실을 깨닫도록 하는 것이다. 혼자가 된다는 것은 깊은 성찰과 사유를 가능케 한다는 것일 수도 있다. 숨 가쁘게 달려오느리 미처 보지 못한 내 삶의 물집들이 눈물겹게 시선 속으로 들어올 때, 마실 나갔던 본성(아트만, atman)이 내 영혼 속으로 되돌아와 나를 깨우는 축복의 시간이 될 것이다.

가을이 깊어간다. 즈나나 무드라로 깊은 명상에 빠져도 좋고 기도나 사색, 멍때리기 등으로 조용히 하루를 홀로 지내보는 것도 이 계절을 즐기는 방법 중 하나가 되리라 생각한다.

또한 우리 몸에서 '손'처럼 희생적인 신체 부위도 없을 것 같다는 생각이 든다. 손으로 표현하지 못할 것이 없다는 가정은 수화나 점자라는 위대한 표현 도구도 탄생하게 했다. 알게 모르게 내가 지금껏 그 혜택을 누려 왔듯이, 나도 누군가에게 따뜻한 '손'이 되어 주고 싶다는 착한 생각도

이 가을날 한 번쯤 해보기를 권한다. 수인 무드라(手印 mudra)의 묘리도 주의 깊게 살피면서.

[손가락 요가(수인 무드라)]/ 최진태

그대의 지나온 흔적 켜켜이 쌓여 있는/그대 손 얼굴만큼 많은 걸 보여주네/분명한 시간의 질서 그 속에서 본다오

그대 손엔 감각신경 세포들 몰려있다/그 덕분에 제2의 뇌 별칭까지 얻었구려/한국의 젓가락 문화 이곳에서 더 빛난다
고통과 환희까지 그 손에 각인된다/내 지문 내 나이테는 이 세상에 유일하지/그대 인생 독특한 문양 그대 손에 담겨있군

상대의 삶의 행로 궁금하다 생각되면/상대의 손 지켜보라네 가만히 살피라네/오롯이 한 사람 일생 그 속에 내려 앉은

인간과 동물의 차이 극복하고 이룩한/찬란한 문화 창달 일등공신 직립보행/불사용은 두 번째라네 그 다음은 손이였군

손짓 통한 상징성은 인도 춤이 대표적임/언어로 전달보단 다양한 해석 가능/더 효과적 표현 수단에 손만 한 게 있을까

완 인 올(one in all) 올 인 완(all in one)은 일즉다(一卽多) 다즉일(多卽一)임/부분은 전체이고 전체는 부분이네/이 원리 체표반사설(體表反射說) 동양의학 근간이군

언어로 묘사할 수 없는 세계 있다 하면/언어가 필요없는 초월세
계 있다 하면/침묵으로 전해 주리라 그걸 일러 무드라(mudra)

인지검지 맞붙인 채 허벅지 위 올려 놓고/양 손이 하늘 보게 때
로는 땅을 보게/소우주와 대우주의 힘 결합되는 명상자세
숨가쁘게 내 딛느냐 보지 못한 삶의 물집/마실 갔던 아트만이 내
영혼 속 되돌아와/날 깨우는 축복의 시간 맞게 되길 기원하오

16. 자성(自性)의 등불을 밝히는,
부차리 무드라(68)

명상하며 코끝을 응시하는 '부차리 무드라(Bhuchari Mudra)'는 안구의 기능을 높이고 졸음에 빠지지 않도록 한다.　　　　　　시연 김미선.

'부차리 무드라(Bhuchari Mudra)'는 명상 시 눈동자를 내려 코끝을 응시하는 기법으로 안구의 기능을 높이고, 뇌의 안정력을 촉진시켜 주는 효과가 있으며 졸음 등 혼침(昏沈)에 빠지지 않도록 하는 역할도 한다.

코는 공기 중의 이물질로부터 우리 몸을 보호하는 기능을 한다. 코털은 외부에서 들어오는 먼지를 걸러내고, 코 안의 점막은 항바이러스 성분과 살균 효소가 든 점액을 분비한다. 코 천장의 후각 점막은 공기 중에 섞여 들어오는 냄새를 맡는 역할을 한다. 음식 등에서 퍼져 나온 냄새 분자가 후각 점막에 후각세포를 자극하면, 그 신호를 받은 뇌가

235

냄새를 느끼는 것이다.

후각은 오감 중 가장 예민하게 반응하는 감각으로 사람은 약 500만 개의 후각세포를 통해 약 3000~1만 가지의 냄새를 감지할 수 있다. 하지만 후각세포는 쉽게 피로를 느껴서 아무리 강한 냄새도 시간이 흐르면 감각이 무뎌져 느낌이 둔하게 된다.

냄새를 맡는 경로는 두 가지인데 하나는 코의 앞쪽인 비강을 통해서, 또 하나는 구강과 코의 뒤쪽인 인두(咽頭)를 통해서다. 전자는 향수 같은 외부의 냄새를 주로 감지하고 후자는 주로 입안의 냄새를 감지한다.

즉 입안에 음식이 있으면 인두강을 통해서 냄새가 코까지 올라와 느껴지는 것이다. 쓴 약을 먹을 때 코를 막으면 안 쓰게 느껴지는 이유이다. 또한 입안과 코 안이 연결되어 있으므로 후각은 미각에 영향을 미친다.

사람은 4만 가지의 기본적인 맛과 1만 가지 정도의 냄새를 구분할 수 있다. 그리고 모든 인간은 코에 극소량의 철(Fe) 성분을 가지고 있어서 커다란 자장이 있는 지구에서 방향을 잡기 쉽도록 해 주며, 빛이 없을 때 이것을 이용해서 방향을 잡는다.

후각기는 포유류의 감각 중에서도 역사가 가장 오래된 것

중 하나로 후각중추도 뇌 속에서 가장 역사가 오래된 부분에 존재한다.

사람의 후각기관인 코는 유난히 튀어나왔다. 사람처럼 튀어나온 코는 동물에서 흔하지 않다. 거북의 코는 구멍 두 개만 뚫려 있는데, 이런 형태가 동물 코로는 오히려 전형적이다. 물고기와 도마뱀도 구멍만 있고 고릴라와 침팬지의 경우도 비슷하다. 현존하는 영장류 중에서 코주부 원숭이와 사람만이 코가 튀어나와 있다.

목소리는 기본적으로 성대의 모양에 따라 결정되지만 코역시 목소리의 차이를 만드는 데 중요한 역할을 한다. 성대의 진동으로 만들어진 목소리는 코곁굴을 지나며, 그때에 더욱 크게 울리는데 이때 코의 구조와 두께에 따라 사람마다 다른 목소리가 나오게 된다.

일본 교토에 가면 세계에서 찾아보기 힘든 유적이 있다. 조선 사람들의 코를 베어 묻어 놓은 코무덤이 있다. 임진왜란 때 일본군이 전리품을 확인하기 위해 목 대신 베어갔던 코를 묻은 무덤이다. 일본이 저지른 대표적인 만행중의 하나이다. 당시 도요토미 히데요시의 휘하 무장들이 부피가 큰 목 대신 가져갔던 것으로 본래 이름은 코무덤이었으나 이름이 섬뜩하다고 하여 귀무덤으로 바뀌었다. 코무덤에는 조선인 12만 6000명이 코가 묻혀 있다.

두 번 다시 되풀이되어서는 안 될 치욕과 통한의 역사이다. 자주국방(自主國防)과 부국강병(富國强兵)을 새삼 떠올리게 된다.

흔히 아이가 울면 '이비야(耳鼻爺)가 잡아간다'는 말로 겁을 주곤 한다. 왜병은 코 베어 가고 귀 떼어 가는 사람이라는 뜻으로 그렇게 불렀다 하니 억장이 무너질 듯하다.

어머니 뱃속에서 아가의 모습이 만들어질 적에 얼굴에서는 코가 제일 먼저 형태를 이루기 시작하는데 그래서 옛사람들은 사람의 형성이 코부터 만들어진다는 점에 주목하여 비(鼻)란 말이 만물의 첫 출발이라는 의미를 부여하였다.

사물의 시초 즉 처음이라는 것을 뜻하는 용어로 비조(鼻祖)라고 쓴다. 중국 화가들은 인물화를 그릴 때 코부터 그리는 경우가 많다고 한다. 맏아들을 비자(鼻子)라고도 불렀다.

동물 중 박쥐는 초음파로 사냥을 하는데 못생긴 코로 초음파를 발사한다. 코가 돼지보다 못생긴 이유도 초음파를 효율적으로 발사하기 위해 진화된 결과이다. 비둘기는 코가 개보다 더 좋다. 비둘기를 날려 전령을 보내는데 비둘기 코가 특별해서 훈련시킨 것이다. 마치 개가 냄새로 마약이나 숨겨진 **뼈다귀**를 찾아내듯 비둘기는 코로 냄새를 맡아 내비게이션처럼 목적지를 찾아간다.

'부차리 무드라'로 명상에 잠기어서 '코를 잡아도 모르겠다' 는 속담처럼 나의 자성(自性)의 등불이 눈앞에 벌어지는 일 도 모를 정도로 캄캄하지는 않은지 성찰해볼 일이다.

코는 주로 자존심이나 자만심 등과 연관시켜 생각할 수 있 는 바 쓸데없는 자존심이나 허황된 자만심 때문에 주위 사 람들과의 소통을 힘들게 하고 삶의 질을 떨어뜨리고 있지 나 않은지도 돌아볼 일이다.

[코(鼻) / 최진태]

코 비(鼻)란 만물의 첫 출발 의미한다/ 태아가 제일 먼저 모습 갖 는 부위라/ 그대 일러 사물의 시초 비조(鼻祖)라 한다지

졸음 혼침(昏沈) 쫓으려면 코 끝을 응시하고/ 코 잡아도 모를만큼 명상삼매 **빠져보세**/ 컴컴한 자성(自性)의 등불 코 끝에서 일낸다

콧대가 높다낮다 자존감 높다낮다/외모에 일희일비 무상(無常)한 모습놀이/ 내면의 콧대 세워서 참된 도리(道理) 밝혀 보리(菩提)*

*정각(正覺)의 지혜를 얻기 위하여 닦는 도(道)

17. 독과 약 둘이 아니라네 '불이법문(不二法門)', 공작 자세(69)

공작 자세는 양팔을 구부려서 복부 중앙에 닿게 하고, 고개를 숙인 채 양 팔꿈치로 몸통을 받치는 느낌으로 두 다리를 서서히 들어 올린다. 공작이 전갈이나 뱀, 독충을 죽이는 것처럼 장 속의 독소를 몰아낸다
시연 최진태.

공작은 에덴의 동산에서 금단의 열매를 먹지 않은 유일한 새였다고 한다. 오래된 유대교 전설에 따르면 공작은 영원한 생명으로 보상받았고, 그리하여 부활과 재탄생, 영원성의 통찰을 나타나는 신비한 새인 불사조(phoenix)로 거듭나게 되었다.

공작의 무겁고 긴 꽁지깃은 진화의 산물이다. 공작이 세상에서 가장 멋진 새들 중의 하나인 것은 무지갯빛 푸른색 꼬리털의 아름다움 때문이다. 부채처럼 아름다운 꽁지깃은 비록 개체 생존에는 도움이 되지 않을지라도 암컷을 유혹하고 자손을 남기는 데는 유리하다. 매년 자신의 다채로운 색깔과 화려함을 잃었다가 되찾고 새끼를 치는 공작은 불사조와 마찬가지로 불멸의 상징이기도 하다.

인도에서는 우기(雨期)가 가까워져 천둥이 치면 공작이 날개를 펼쳐서 춤추고, 또한 많은 새끼를 키우기 때문에 이 새를 자연의 재생이나 풍요의 상징이라고 여겼다.

아름다움의 상징인 활짝 펼친 깃에서 보이는 화려한 무늬를 가장 아름다운 눈이라고 말하는데, 서양 신화에서는 헤라 여신이 눈 1000여 개가 있는 거인에게서 옮겨 놓은 것이라고 묘사한다. 아시아에서 공작의 깃털을 아름다운 눈(目)에 비유하는 것은 세상을 여러 면에서 볼 수 있음을 상징한다고 할 수 있다. 그러한 도상(圖像)은 불교의 천수천안(千手千眼)과 무관하지 않다.

"공작은 천사의 깃털과 악마의 목청과 도둑의 걸음을 가졌다"라고 말한다. 공작은 서식지에 따라 크게 말레이 공작, 인도공작, 콩고 공작 등으로 나뉜다. 그중 인도공작은 인도의 국조(國鳥)다. 과거 인도에서는 뱀에 물려 독사한 사람이 많았는데, 그 때문에 뱀의 천적인 공작을 신성시하는 문화가 생겼다고 한다. 힌두교 여성신(神) '마하 마유라'로 신격화되기도 한다. 그리스에서는 공작의 꼬리 날개를 펼친 모양이 떠 있는 별과 같다고 해서 성조(星鳥)로 취급했다. 또 공작의 살은 좀처럼 썩지 않는데, 여기서 유래한 것이

불사조(피닉스)다

미국 종교학자 조셉 캠벨은 '공작 깃털에 박힌 눈은, 인간에게 혜안과 통찰을 열어 준 이마 한가운데 있는 제3의 눈과 같다'고 힌두교에서 여겼다는 것을 전하고 있다.

공작은 세상에 존재하는 모든 새 중에서 길조(吉鳥)를 의미한다. 또한 공작은 아홉 가지 미덕을 갖추고 있다고 칭송한다. 그것은 용모의 단정은 물론, 목소리가 맑고 깨끗하며, 걸음걸이가 조심스럽고 질서가 있으며, 때를 알아 행동하고, 먹고 마시는 데 절도를 알며, 항상 분수를 지켜 만족할 줄 알고, 나뉘어 흩어지지 않으며, 음란하지 않고, 갔다가 되돌아올 줄 안다는 아홉 가지 미덕을 말한다.

사람들은 공작이 갖고 있는 이러한 미덕을 좋아하고 사랑하기 때문에, 그림의 체본, 여러 기물, 건축, 도안 등에 공작무늬를 즐겨 사용했다. 특히 회화에서는 높은 관직에 오르기를 염원하는 길상(吉祥)적 의미를 담고 있다. 또한 공작은 문인(文人)의 흉배(胸背) 무늬로도 사용되었다. 불교에서는 공작명왕(孔雀明王)이 공작을 타고 다니며 모든 재앙을 물리친다고 하여 신격화되었다.

어떤 비구니가 나무를 하다가 뱀에게 엄지발가락을 물려 고통받고 있을 때, 부처님이 '불모(佛母)공작명왕 대다라니'

를 설법했다고 하는데, 그 주문은 뱀의 독은 물론이고 모든 병을 낫게 하였다고 한다.

공작의 상징은 인도나 동남아시아보다도 이 새를 이국의 진귀한 새로 보는 서양에서 더 발달하였다. 성경 열왕기상(10:22)에 의하면 솔로몬 왕 치세하에 바닷길로 가져온 보물에는 금, 은, 상아, 원숭이와 함께 이 새가 있었다.

우리나라에도 신라시대에 이미 공작을 길렀다는 기록이 있다. 고려시대 송나라에서 수입되는 품목 중에도 공작이 들어 있었다는 기록으로 미루어 사육의 역사가 꽤 오래되었음을 알 수 있다. 유럽에서는 예부터 고기 맛이 좋아 고급 요리에 사용하였다. 새끼는 약 24일 만에 부화하며 부화한 즉시 걸을 수 있다.

"아름다운 벼슬을 지닌 공작은 인도에서는 지혜와 음악과 시의 여신인 사라스와티의 표상이다. 재산과 풍요의 여신 락쉬미는 공작을 타고 이동한다. 브라흐마는 장엄한 공작을 탈 것으로 이용하고, 크리슈나도 머리에 이국적인 이 새의 깃털을 사용한다. 왕과 신들의 새인 공작은 가장 높은 곳을 향한 수행자의 열망을 상징하기에 적합하다."(스와미 시바난다 라다)

이란에서 공작은 왕권을 상징하며, 페르시아 왕좌(王座)는 공작의 왕좌(王座)로 불린다.

"공작에 얽혀 있는 재미있는 일화도 전해진다. 칠면조는 싸우다가 형세가 불리해지면 갑자기 목을 쭉 빼고 땅바닥에 드러눕는다. 이긴 칠면조는 누워 있는 놈 주변을 빙빙 돌며 위협적 자세를 보일 뿐 더 이상 공격하지 않는다. 그러나 칠면조가 인척 관계인 공작과 맞붙으면 상황이 달라진다. 칠면조가 공작보다 힘이 세고 덩치도 크지만, 날렵한 공작한테는 늘 당한다. 칠면조가 평소 싸움 룰에 따라 바닥에 드러누우면 끔찍한 일이 일어난다. 공작은 무방비 상태의 칠면조를 계속 쪼아 죽이는 경우도 있다. 공작이 칠면조의 몸짓을 이해하지 못하기 때문이다."(동물행동학자, 콘라트 로렌츠 '솔로몬의 반지' 中)

연배 지긋한 분들이라면 공작새 하면 원로가수 현인이 오래전(1952년)에 불렀던 "공작새 날개를/휘감는 염불소리/갠지스강 푸른 물에/찰랑거린다/무릎 꿇고 하늘에다/두 손 비는 인디아 처녀/파고다의 사랑이냐/향불의 노래냐/아~ 깊어가는/인도의 밤이여"라는 '인도의 향불' 가사가 절로 흥얼거려지리라.

공작 자세 즉 마유라 아사나(Mayura asana)는 양팔을 구부려서 복부 중앙에 닿도록 하고, 고개를 숙인 채 양 팔꿈치로, 몸통을 받치는 느낌에서 두 다리를 뒤로 뻗으며 서서히 들어 올린다. 몸 자체가 바닥과 평행이 되도록 유지한다. 숙달되면 결가부좌 한 채로 할 수도 있다. 소화력이 증대되고 오장육부를 자극하여, 공작이 전갈이나 뱀, 독충을 죽이는 것처럼 장 속의 독소를 몰아낸다. 온몸의 중량이 양 팔꿈치 위에 실릴 때 잡스러운 사념들이 들어설 틈새가 있을 리 없다. 손목 팔목 팔꿈치를 단련시키고 집중력과 균형감 증진에도 효과적이다.

인도 열차 여행 중 식중독으로 복통을 앓던 하타요가의 고수가 이 공작 자세를 통해 위기를 넘겼다는 얘기도 전해진다. 배꼽 부위에는 인체의 세 번째 차크라인 마니푸라 차크라가 자리 잡고 있다. 공작 자세는 이 차크라에 불(火)을 일으켜서 내부의 불순물과 독성을 태워버리는 효과가 있는 것이다. '백물(百物)의 독'을 제거하는 마유라 아사나임을 실감했다고 한다. 고혈압이나 심장에 이상이 있는 사람과 임산부는 자제한다.

《추천사》

정달식 · 부산일보 논설위원

'세월을 견디고 비바람을 버텨야 나이테가 쌓인다'고 했던 가.

최진태 원장을 보면 꼭 이런 느낌을 받는다.

그는 요가 경력 25년 동안 오롯이 요가 지도자 양성에 매진해 왔다.

부산, 경남 지역 몇몇 대학에서도 처음으로 요가 지도자과 정을 개설하여 다수의 요가 지도자를 배출시켰다.

그는 요가의 대중화에도 기여했다. 2013년 6월부터 2015년 6월까지 84회에 걸쳐 부산일보에 '최진태의 요가로 세상읽기' 칼럼을 연재했다. 또 2021년 3월부터 2024년 1월 현재까지 '최진태의 요가로 세상보기'가 100회가 넘게 부산일보 인터넷을 통해 연재되고 있다.

이 책은 그중 일부를 수록한 것이다.

최 원장은 시인 · 시조 시인이자 아동문학가이며, 수필가이기도 하다. 그는 참 재주가 많은 분이다. 다재다능하다고나 할까.

그림 그리기는 물론 드럼, 해금을 비롯해 동서양 악기를 여러 종류 다룬다. 즐긴다는 표현이 어울릴 것이다.

'흥어시 입어래 성어락(興於詩 立於禮 成於樂)'이라 했던가. 시에서 감흥하고, 예에서 정립하며, 음악에서 완성한다는 공자의 말을 몸소 실천하는 중이다.

학구열도 대단하여 수 곳의 대학원에서 요가학, 기공학, 산업교육학, 경영학 등을 섭렵했다. 그가 가끔 얘기하는 '앙코라 임파로(Ancora Imparo·나는 아직도 배운다)'라는 말은 그에게 딱 어울리는 단어일 것 같다. 그는 다독가이며 속독의 재주도 지녔다. 세상에 대한 그의 다양한 호기심과 내공은 켜켜이 쌓인 세월의 무게와 함께 점점 깊어만 간다.

그의 이런 다양한 삶의 흔적들이 이 책에 오롯이 녹아 있다.

그는 "어떻게 요가하는지도 중요하겠지만, 왜 요가를 하는지 한 번쯤 되돌아보게 하는 책이 되었으면 한다"고 말한다.

책장을 넘기며 수수께끼 같은 요가 자세의 명칭과 설명, 그리고 인문학적 스토리를 접하다 보면, 저절로 책 속에 흠뻑 빠지게 될 터이다.

열정 없는 사람이 어디 있을까마는 그는 정말 열정으로 똘똘 뭉쳤다. 열정이 습관화되면 삶이 신난다고 했던가. 뒤늦게 하가이 길로 뛰어들어 왕성히게 활동했던 엠미 스딘서럼, 그의 내면에도 열정이 늘 살아 숨 쉰다. 용광로 같이 끓어오르며, 끊임없이 뿜어내는 에너지는 아마 그가 오랫동안 '요가 마스터(Yoga Master)'로서의 길을 걸어온 아우라 때문이리라.

그의 책이 요가인이나 일반 독자들에게 요가에 대한 경험을 한층 심도 있게 해주고, 더 깊은 사유의 길을 제공해 줄 것임을 믿어 의심치 않는다.

끊임없이 소통하고 싶어 하는 그의 움직임이 이번엔 이 책을 통해 독자들과 속 깊게 소통하고 싶어 한다.

《요가수행》 최진태

마음은 성(性) 그 마음을 담는 그릇 명(命)이라죠
수행자 대부분은 마음 닦기 숭상하나
마음 담는 그릇 허술은 참 나 근원 찾기 난망

미식도 예쁜 그릇 담아야 제맛 나듯
마음도 강건 몸에 담아야 더 빛나죠
내 마음 닦기 원하면 그 육신도 닦아야죠

상승법 요가수행 몸과 마음 함께하니
일심으로 성명쌍수(性命雙修) 결합시켜 가는 여정
건강한 몸 건강한 영혼 함께하는 수행법

요가의 향기로 세상을 보다

지 은 이 | 최진태
기획 제작 | 최진태
E - mail | gi7171gi@naver.com
Naver카페 | 부산요가명상원
전화번호 | 010-8533-1561

편   집 | 이재철
발 행 처 | 도서출판 흐름
등록번호 | 제399-2023-000027
등록일자 | 2023년 3월 22일
주   소 | 경기도 남양주시 화도읍 비룡로 186
전   화 | 010-5257-1254
이 메 일 | ejc1057@naver.com

I S B N | 979-11-982864-8-2
가   격 | 20000원

요가의 향기로 세상을 보다 2024년